LLAMADO A PREDICAR

LLAMADO A PREDICAR

La RED es un servicio voluntario para promover la obra literaria. Su propósito es apoyar y ayudar todo esfuerzo relacionado con la producción de literatura bíblica y cristiana.

La RED se compromete a servir a la comunidad publicadora utilizando la riqueza de la diver-sidad cultural e intelectual de sus recursos humanos y técnicos, sin embargo, respetando la autonomía de cada entidad para la unidad de la iglesia.

La RED es un servicio disponible a quien quiera utilizar los recursos humanos cooperativos para la revisión y mejoramiento de los trabajos impresos y así mantener una fidelidad al lenguaje.

Este logotipo (sello) es el símbolo representativo de la calidad en ortografía y el uso de un lenguaje común con el propósito de que el mensaje bíblico y las aplicaciones cristianas se comprendan por la gran mayoría de hispanohablantes.

Llamado a predicar por Boyce Mouton

Literature And Teaching Ministries
P. O. Box 645
Joplin, MO 64802-0645 E.U.A.

Traducción: Roberto Marsh y Diana Rojas
Diseño de cubierta: Mark Cole

ISBN 978-1-930992-36-8

CONTENIDO

EL TRABAJO MÁS IMPORTANTE DEL MUNDO

¡FELICIDADES! ¡Si Dios le ha llamado a usted para predicar el evangelio, usted está involucrado en el trabajo más importante del mundo! Sin embargo, junto con este gran privilegio, también hay responsabilidades grandes.

El predicar el evangelio es un privilegio reservado para el hombre. El Señor Jesús está a la diestra del Padre que está en los cielos. No nos predica a nosotros. El Señor Jesús tiene millones de ángeles para hacer lo que él quiera, pero ellos nos predican a nosotros. El Señor Jesús encargó a hombres como usted y yo para que vayamos a todo el mundo y prediquemos el evangelio a toda criatura (Marcos 16:15) ¡Por favor, no tome a la ligera el privilegio y la responsabilidad de predicar el Evangelio!

Por un lado todos los creyentes son enviados por Dios para compartir la fe con otros. Un ejemplo: Cuando la iglesia en Jerusalén fue dispersada por la persecución, todos los creyentes predicaron por donde fueron (Hechos 8:4). La maravillosa obra de evangelizar es el privilegio de todo creyente. Sin embargo Dios ha llamado a algunos a ser evangelistas, pastores y maestros en un sentido especial (Efesios 4:11). El Señor declaró que estos obreros especiales que predican el evangelio pueden recibir salario por su trabajo (1 Corintios 9:3-14). Mientras las verdades de esta lección son de valor para todos, son de interés particularmente para los que son apoyados económicamente por la iglesia como evangelistas, pastores y maestros.

Hay algo emocionante relacionado al acto de llevar buenas nuevas. Recuerde la historia de Ahimaas durante los días del rey David. Él pidió el privilegio de contar las buenas nuevas al rey que el Señor le había salvado de la mano de sus enemigos (2 Samuel 18:19). Nosotros también debemos estar emocionados de entregar las buenas nuevas.

Dios es soberano. Él puede salvar al mundo en cualquier manera que él quiera. Sin embargo, en su sabiduría infinita, ha determinado salvar al mundo por medio del mensaje predicado. Así como los cielos son más altos que la tierra, así son sus pensamientos y sus caminos más altos que los nuestros. Cuando predicamos su Palabra, estamos cumpliendo su propósito eterno. Nuestra predicación no es en vano porque él ha prometido que hará lo que él quiera (Isaías 55:8-13; 1 Corintios 1:18-31).

Fácilmente se puede demostrar en las Escrituras el hecho de que los seres humanos son responsables para predicar. Recuerde cuando Saulo (más tarde llamado Pablo) vio una visión en el camino a Damasco. El Señor Jesús se le apareció, pero no le dijo cómo ser salvo. Tampoco los ángeles le dijeron qué hacer. ¡Fue un hombre que le dijo qué hacer! El Señor Jesús lo envió a Damasco donde un hombre que se llamaba Ananías le dijo qué hacer para ser salvo (Hechos 22:10). De la misma manera, cuando Cornelio vio una visión, él también mandó llamar a un hombre (Pedro) el cual les dijera qué hacer para ser salvo (Hechos 10:5). Cuando Pablo estuvo en Troas, vio una visión de un hombre de Macedonia, rogando que les ayude. No envió Dios un ángel a Macedonia para predicar, sino envió a Pablo (Hechos 16:9-10). Entonces cuando Dios quiere que alguien sea salvo, envía predicadores como usted y yo para decir a la gente qué hacer.

Las Escrituras dicen que los predicadores son como los que siembran buena semilla. Como usted sabe, no toda la semilla que se siembra crecerá y dará fruto. Una parte caerá junto al camino y otra parte sobre la piedra y otra parte entre espinos. Sin embargo, una parte caerá en **"buena tierra"** y llevará mucho fruto (Lucas 8:4-15). Noé era un pregonero de justicia (2 Pedro 2:5). No obstante, los miembros de su propia familia eran las únicas personas que él salvó. Que Dios le dé a cada predicador el privilegio de salvar los miembros de su propia familia.

Los predicadores experimentan gran regocijo en su trabajo. El salmista describe este regocijo con estas palabras: **"Los que sembraron con lágrimas, con regocijo segarán. Irá andando y llorando el que lleva la preciosa semilla; mas volverá a venir con regocijo, trayendo sus gavillas"** (Salmo 126:5-6).

"¡Cuán hermosos son los pies de los que anuncian la paz, de los que anuncian buenas nuevas!" (Romanos 10:15).

Como usted sabe, la semilla que sembramos nosotros es eterna. Es la Palabra de Dios que vive y permanece para siempre (Lucas 8:11; 1 Pedro 1:23). No se puede destruir las palabras del Señor Jesús porque son espíritu y son vida (Juan 6:63). ¡El cielo y la tierra pasarán, pero las palabras de Cristo no pasarán! (Mateo 24:35). La importancia de predicar estas buenas nuevas no puede ser enfatizada demasiado. El predicar estaba en la mente de Dios antes de la fundación del mundo y es una parte de su plan eterno para salvar al mundo.

Estas buenas nuevas que predicamos son tan maravillosas que van más allá de la comprensión humana. Pablo, citando algunas palabras de Isaías escribió: **"Cosas que ojo no vio, ni oído oyó, ni han subido en corazón de hombre, son las que Dios ha preparado para los que le aman"** (1 Corintios 2:9-10). No hablaba del cielo, sino hablaba del mensaje del evangelio que nosotros somos privilegiados a predicar.

Otra vez, repetimos que el predicar el evangelio es un privilegio. Mientras todos los creyentes somos llamados a la labor de evangelismo, no todos somos llamados para ser evangelista, pastor o maestro. Pablo, inspirado por el Espíritu, escribió que no son muchos sabios, ni muchos poderosos, ni muchos nobles entre los llamados. Siendo esto verdad para todos los creyentes, tiene particular significancia para los trabajadores especializados en la iglesia. Pablo dijo, por ejemplo, que Dios había exhibido a sus apóstoles como hombres condenados a muerte, los postreros en el desfile de los conquistados. Con una nota de sarcasmo contrastó el ministerio de un apóstol con la iglesia en general. La iglesia era prudente y los apóstoles insensatos. La iglesia era fuerte y los apóstoles débiles. La iglesia recibía honor y los apóstoles desprecio. La iglesia tenía casas y los apóstoles no. Vea 1 Corintios 4:8-13. No debe sorprendernos que los seguidores de Cristo son menospreciados por el mundo (1 Corintios 1:26-31), porque Jesús mismo era despreciado y rechazado por los hombres (Isaías 53:3).

No obstante, el Señor Jesús nunca abandona a los predicadores del evangelio. El mandato de Cristo de ir a todo el mundo se encuentra en los cuatro evangelios y también en el libro de los Hechos. Véalo en Mateo 28:18-20; Marcos 16:15-16; Lucas 24:47-48; Juan 20:21-23; Hechos 1:8. Como una parte de la gran comisión Jesús prometió acompañarles hasta el fin del mundo (Mateo 28:20). No los dejaría huérfanos, sino estaría con ellos (Juan 14:18). También nos ha prometido que nunca nos dejará, no nos desamparará (Hebreos 13:5).

¡Recuerde! El predicar el evangelio es instigado por Dios. Cuando estamos predicando, estamos colaborando con Dios (1 Corintios 3:9). Dios labora con nosotros cada día mientras hagamos su voluntad. Él ayuda a un hombre a sembrar, y a otro a regar, pero últimamente es Dios mismo quien da el crecimiento (1 Corintios 3:6). Nadie llega a ser parte de la iglesia de Dios hasta que el Señor lo añada (Hechos 2:47).

Muchas veces los predicadores enfrentamos circunstancias en las cuales no sabemos qué hacer. Sin embargo, estando unidos con Cristo no debemos preocuparnos. Él nos ayudará durante estos tiempos difíciles. Mientras trabajamos en su yugo, constantemente el Señor Jesús está a nuestro lado para que podamos aprender de él (Mateo 11:28-30). A veces Dios espera hasta el último momento para decirnos qué hacer, pero siempre ha prometido ayudarnos (Mateo 10:19-20). Dios ha prometido si estamos faltos de sabiduría, si le pedimos, él nos lo dará (Santiago 1:5). Además, tenemos la promesa del Señor Jesús que no nos desamparará ni nos dejará (Hebreos 13:5). Se galardona el éxito terrenal por medio de tesoros temporales, pero los que son fieles en predicar el evangelio, recibirán una corona incorruptible (1 Corintios 9:24-27).

¡Algún día cuando estemos delante de Dios, ningún predicador lamentará el haber sido fiel a su llamada!

RESPONSABILIDAD SAGRADA

Debido a que Dios nos ha encargado con un privilegio tan grande, él requiere que seamos fieles a nuestra llamada. No es opcional. Se requiere de los administradores seamos hallados fieles (1 Corintios 4:1-2). No importa qué don hayamos recibido,

Dios requiere que seamos fieles en la administración de ese don. El Señor Jesús dijo que cuando el Maestro regrese, él nos requerirá que le demos cuentas de los talentos que hemos recibido (Mateo 25:14-30).

Recuerde que Pablo fue apartado desde su nacimiento para predicar a los gentiles (Gálatas 1:15-16). También, recuerde por favor, que él fue requerido por Dios a ser fiel a su llamada. De hecho, Pablo escribió: **"¡ay de mí si no anunciare el evangelio!"** (1 Corintios 9:16). Si Dios lo ha llamado a usted para predicar, usted también tendrá que darle cuentas de su ministerio.

La Biblia enseña que los predicadores somos como ***atalayas*** que Dios designa para advertir a su pueblo de peligro.

- Cuando el pueblo de Israel rechazó el mensaje de Amós, él les recordó que Dios no haría nada sin que revelara su secreto a sus siervos, los profetas (Amós3:7). Dios envió a Amós para advertir a Israel con respecto a su pecado, pero cuando ellos se negaron a arrepentirse, Dios levantó a los asirios para que los destruyeran.
- Dios le dijo a Ezequiel que le había puesto como atalaya a la casa de Israel (Ezequie l3:17). Si él los amonestara e Israel rehusara escucharle, moriría por su maldad, pero Ezequiel libraría a su alma. No obstante, si Ezequiel rehusara amonestar al pueblo, aún moriría en su maldad, pero en este caso la sangre estaría en las manos del atalaya (Ezequiel 3:18).

También, los predicadores son semejantes a ***pastores***, de quienes Dios pedirá cuentas con respecto al cuidado de las ovejas de Dios.

- Dios castigó a los pastores durante los días de Jeremías porque dispersaron el rebaño de Dios y no lo cuidaron (Jeremías 23:1-4).
- El Señor Jesús dijo que el buen pastor daría su vida por las ovejas, mientras el asalariado los abandonaría en tiempos de peligro (Juan10:11-13).
- Medite en que las palabras que Dios habló a Jeremías podrían ser dirigidas a todos los pastores:" **¿Dónde está el rebaño que te fue dado . . .?"** (Jeremías13:20).

La responsabilidad de un predicador se hace aun más importante por el hecho de que las Escrituras enseñan al pueblo de

Dios a obedecer a sus líderes: **"Obedeced a vuestros pastores, y sujetaos a ellos;** ***porque ellos velan por vuestras almas, como quienes han de dar cuenta;*** **para que lo hagan con alegría, y no quejándose, porque esto no os es provechoso"** (Hebreos 13:17). Nótese que con esta autoridad, viene también la responsabilidad. ¡Los líderes espirituales tendrán que dar cuentas a Dios!

RESPONSABILIDAD GRANDE

Obviamente, las ovejas siguen a sus pastores. El pueblo de Dios es como las ovejas (Salmo 100:3). Seguirá a un pastor. Debemos tener compasión por las personas sin pastor. El Señor Jesús tenía compasión por las multitudes que eran como ovejas sin pastor (Mateo 9:36).

Sin embargo, es muy importante que el pueblo escoja al pastor correcto. Algunos pastores son semejantes a lobos vestidos de ovejas (Mateo 7:15). Otros pastores son espiritualmente ciegos y si el ciego guiare al ciego, ambos caerán en el hoyo (Mateo 15:14).

El Señor Jesús es el buen pastor y debemos seguir a nuestro pastores en la misma manera como ellas siguen a Cristo. Pablo escribió: **"Sed imitadores de mí, así como yo de Cristo"** (1 Corintios 11:1). Mientras esta es una admirable meta, en realidad la mayoría de la gente aún sigue a su pastor.

La mayoría de la gente del mundo no tiene una Biblia y algunas personas ni pueden leer ni escribir. Estas personas necesitan a alguien para guiarlas. Muchas personas que tienen Biblias no las leen. Es triste que tantos cristianos no hayan leído toda la Biblia. Por cierto, la mayoría nunca ha estudiado la Biblia en su totalidad. ¡Por eso, necesitan orientación!

Las Escrituras aún mandan al pueblo de Dios que:

- Imite la fe de sus pastores (Hebreos 13:7).
- Obedezca a sus pastores y se sujete a su autoridad (Hebreos 13:17).

La Biblia compara la lengua de los maestros con:

- Un freno en la boca de los caballos (Santiago 3:3).
- Un timón pequeño que gobierna una nave grande (Santiago3:4).
- Un pequeño fuego que puede encender un gran bosque (Santiago 3:5).

Porque los maestros tienen tanta influencia, Dios los juzgará con más severidad (Santiago 3:1).

También, el Señor Jesús dijo que como conocemos un árbol por su fruto, de la misma manera, podemos conocer a los maestros religiosos por sus frutos (Mateo 7:15-20). Estas palabras del Señor Jesús son a la vez sencillas y profundas. La mejor manera de reconocer un árbol no es por sus hojas ni por su corteza, sino por el fruto que produzca. La mejor manera de reconocer a un maestro no es por su aspecto ni por las palabras que habla. La mejor manera de distinguir al maestro verdadero del maestro falso es por el fruto que produce.

Con respecto a esto, Santiago señala que algunos maestros tienen celos amargos, y contención en su corazón. Obviamente, tales maestros no representan a Dios (Santiago 3:13-16). Santiago sigue diciendo que el fruto que viene de Dios es puro, pacífico, amable, benigno y lleno de misericordia (Santiago 3:17-18). Ambos tipos de maestros podrían parecer semejantes al oído no perspicaz, pero hay una diferencia notable con respecto al fruto que produzca.

Pastores y maestros existen para ayudar que otros sean devotos de Cristo y no de sí mismos.

RESPONSABILIDAD CRISTOCÉNTRICA

Juan el Bautista rehusó tomar el honor que pertenecía a Cristo. Dijo que quería que el Señor Jesús creciera mientras el menguara (Juan 3:30). ¡Debemos ser como Juan el Bautista!

Herodes murió después de dar un gran discurso porque no dio la gloria a Dios (Hechos 12:23). ¡No sea como Herodes! Diótrefes era un mal maestro quien rehusó recibir a los hermanos en Cristo y quería exaltarse a sí mismo (3 Juan 9-11). ¡No sea como Diótrefes!

El exaltar al Señor Jesús era el remedio para la división en la iglesia de Corinto. Cristo no está dividido, pero la iglesia de Corinto, sí lo estaba (1 Corintios 1:10-17). Algunos en Corinto seguían a Pablo, otros seguían a Apolos, y otros seguían a Cefas (1 Corintios 1:12). Parece que la situación era tan volátil que Pablo meramente usaba a sí mismo y a Apolos como ejemplos (1 Corintios 4:6).

El fundamento verdadero para la unidad cristiana no es Pablo, Apolos, ni otro hombre. El verdadero fundamento para la unidad cristiana es el Señor Jesucristo (1 Corintios 3:11). Pablo no tenía vergüenza porque sabía a quién había creído (2 Timoteo 1:12). ***A quién*** creemos es más importante que ***lo que*** creemos.

¡La unidad cristiana sí es posible! La iglesia de Jerusalén estaba tan unida que los hermanos tenían en común todas las cosas (Hechos 2:42-47).

- Estas personas vinieron de varias naciones distintas (Hechos 2:5).
- Estas personas eran miembros de distintas denominaciones judías (fariseos, saduceos, herodianos, etc.) La unidad de estas personas no estaba basada en su nacionalidad o lealtad denominacional, sino su unidad estaba basada en el Señor Jesucristo.

¡Algo está mal cuando alguien que se llama cristiano, exalte a un hombre o una denominación más que al Señor Jesús!

RESPONSABILIDAD JUZGADA

Porque es necesario que todos nosotros comparezcamos ante el tribunal de Cristo, para que cada uno reciba según lo que haya hecho mientras estaba en el cuerpo, sea bueno o sea malo (2 Corintios 5:10).

Nótese que seremos juzgados como individuos. Somos salvados como individuos y seremos juzgados como individuos. Por eso, es importante que **"nos examinemos"** para ver si estamos en la fe (2 Corintios 13:5). Pablo es un buen ejemplo en cuanto a esto.

Pablo trabajaba diligentemente como un predicador.

- Trabajaba día y noche (2 Tesalonicenses 3:8).
- A menudo tenía hambre y le faltaba ropa (1 Corintios 4:10-13).
- A **menudo era perseguido (2 Corintios 11:23-29).**
- Pablo no dio por sentado su salvación, sino trabajaba por Cristo como un atleta en entrenamiento. Pablo escribió:

Todo aquel que lucha, de todo se abstiene; ellos, a la verdad, para recibir una corona corruptible, pero nosotros, una incorruptible. Así que, yo de esta manera corro, no como a la ventura; de esta manera peleo, no como quien golpea el aire, sino que golpeo mi cuerpo, y lo pongo en servidumbre, no sea que habiendo sido heraldo para otros, yo mismo venga a ser eliminado (1 Corintios 9:25-27).

- Pablo sabía que iba a recibir una **"corona de justicia"** del Señor Jesús (2 Timoteo 4:6-8). La corona de justicia no fue solamente para Pablo, sino también es para todos los que aman su venida (2 Timoteo 4:8). Pablo animaba a otros a ser imitadores de él (Filipenses 3:17).

También Timoteo fue encargado a pelear la buena batalla (1 Timoteo 1:18).

- Debía sufrir penalidades como buen soldado (2 Timoteo 2:3-4).
- También debía competir como atleta, luchando legítimamente (2 Timoteo 2:5).
- Debía trabajar primero como el labrador para participar de los frutos (2 Timoteo 2:6).

También,Tito fue animado a ser un predicador verdadero.

- Debía renunciar a la impiedad y a los deseos mundanos (Tito 2:12).
- Debía vivir con dominio propio, justicia y piedad (Tito 2:12). Si Tito hiciera estas cosas, la venida de Cristo sería una **"esperanza bienaventurada y una manifestación gloriosa"** (Tito 2:13).

Cuando los conversos no son fieles, los predicadores sufren pérdida, pero no pierden su salvación.

- Algunos convertidos son como oro, plata o piedras preciosas (1 Corintios 3:12).
- Otros convertidos son como madera, heno y hojarasca (1 Corintios 3:12).
- La naturaleza verdadera de un convertido se determina por el fuego del juicio. Los convertidos que son como oro, plata y piedras preciosas, se quedan. Los convertidos

como madera, heno y hojarasca son destruidos (1 Corintios 3:10-15).

- Los predicadores sufren pérdida cuando sus convertidos no permanecen fieles. No obstante, el predicador no perderá su salvación (1 Corintios 3:15).

La salvación es un asunto personal.
No podemos ser salvados ni perdidos por otra persona.

RESPONSABILIDAD PREMIADA

Sé fiel hasta la muerte, y yo te daré la corona de la vida (Apocalipsis 2:10).

Algunos son fieles hasta que sean viejos.
Otros son fieles hasta que estén enfermos.
Otros son fieles hasta que tengan problemas.
Otros son fieles hasta que sean perseguidos.
Si usted quiere recibir la corona de la vida,
¡Debe ser fiel hasta la muerte!

Pero en cuanto a ti, hijo de hombre, los hijos de tu pueblo hablan de ti junto a los muros y en las entradas de las casas; hablan el uno al otro, cada cual a su hermano, diciendo: Venid ahora, y oíd cuál es la palabra que viene del SEÑOR. Y vienen a ti como viene el pueblo, y se sientan delante de ti como pueblo mío, oyen tus palabras y no las hacen sino que siguen los deseos sensuales expresados por su boca, y sus corazones andan tras sus ganancias. Y he aquí, tú eres para ellos como la canción de amor de uno que tiene una voz hermosa y toca bien un instrumento; oyen tus palabras, pero no las ponen en práctica. Y cuando suceda, como ciertamente sucederá, sabrán que hubo un profeta en medio de ellos.

--Ezequiel 33:30-33
La Biblia de las Américas

PRIMERAMENTE, NO HAGA DAÑO

Estas palabras famosas se atribuyen a Hipócrates, el padre de la medicina moderna. Aunque quizás no usara estas mismas palabras, él ciertamente personificó la filosofía que exponen estas palabras–lo que hace un doctor bueno. Primeramente no debe hacer daño a la persona a quien está tratando de ayudar. Lo mismo es verdad, por supuesto, en cuánto a predicadores y maestros del Evangelio. Lo que sea que hagamos, primeramente no debemos de hacer daño a los que estamos tratando de ayudar. Un énfasis espiritual será el enfoque de este estudio.

Mi nieto, Josué, estuvo involucrado en un terrible accidente de tránsito el viernes, 25 de octubre del 2002. Los trabajadores médicos están entrenados para usar cautela extrema en tales circunstancias porque aún el mover un paciente en algunos casos puede resultar en daño a la columna vertebral y parálisis. Cuando el helicóptero "Life Flight" aterrizó en el hospital, Josué estaba a punto de morir. Por la gracia de Dios, 3 cirujanos competentes estaban esperando para ayudar. Josué sufrió muchas y serias heridas internas que no eran visibles, pero un daño obvio era que su tobillo izquierdo estaba roto. La rotura era tan severa que el calcañar de Josué estaba encima de su pie. Sin embargo, los doctores sabiamente escogieron no corregir este problema por dos días. La razón es obvia. Salvar su vida era más importante que enyesar un tobillo roto. Este razonamiento es tan pertinente a cosas espirituales que necesitamos considerar la historia de Josué en mayores detalles.

- Josué tenía un daño obvio a su tobillo.
- Los doctores presentes podían inmediatamente ver ese daño y estaban entrenados para poder arreglarlo.
- Ellos escogieron sabiamente, sin embargo, esperar dos días antes de corregir ése problema.

- Como ya hemos dicho, la razón por su demora fue muy importante. El operar su pie antes de que sus signos vitales estaban estables habría sido fatal.
- Era importante corregir el problema con su pie, pero no era la primera prioridad.
- Los doctores sabiamente escogieron hacer las cosas en el orden de su importancia.
- El hacerlo de otra manera habría hecho daño al hombre que estaban tratando de ayudar.

APLICACIÓN ESPIRITUAL

Ahora hagamos una aplicación espiritual de este principio importante. Los obreros cristianos también necesitan establecer prioridades y hacer las cosas en el orden de su importancia. Todas las verdades son igualmente verídicas, pero no todas las verdades son igualmente importantes. ¡Jesús dijo así! Un día, por ejemplo, un experto de la ley preguntó a Jesús: **"Maestro, ¿cuál es el gran mandamiento en la ley?" (Mateo 22:36).**

Nuevamente, esta pregunta es de tan grande significado que necesitamos examinarlo más cuidadosamente. La ley de Moisés contenía Diez Mandamientos escritos en piedra y todos eran importantes. Había más de 600 otros mandamientos escritos en los primeros 5 libros de la Biblia, y todos eran importantes también. Aun sugerir que un "mandamiento" dado por Dios no es importante es acercarse a la blasfemia. Claro que todo lo que Dios manda es importante. Pero, de acuerdo a Jesús, todo lo que Dios manda no es igualmente importante. Aquí está la respuesta que Jesús dio al experto de la Ley:

> **Amarás al Señor tu Dios con todo tu corazón, y con toda tu alma, y con toda tu mente. Este es el primero y grande mandamiento. Y el segundo es semejante: Amarás a tu prójimo como a ti mismo. De estos dos mandamientos depende toda la ley y los profetas (Mateo 22:37-40).**

Las implicaciones de esta verdad son revolucionarias. Todos los mandamientos de Dios necesitan ser obedecidos, pero algunos tienen una mayor prioridad que otros. El diezmar, por ejemplo, es importante, pero justicia, misericordia y fidelidad son "lo más importante de la ley" (Mateo 23:23). De acuerdo a Jesús no hay mandamiento en la Biblia más importante que el amor. El mandamiento de amar toma precedencia sobre los otros mandamientos de las Escrituras. Primeramente debemos amar a Dios, después debemos amar a nuestro prójimo. Notablemente, toda la ley y los profetas dependen de estos dos mandamientos. ¡Note! No hay una tercera prioridad.

PRIORIDAD DEL AMOR

Claro que siempre han habido, y siempre habrá falsos maestros como Himeneo y Alejandro, quienes naufragaron en cuanto a la fe (1Timoteo 1:19-20). En esta lección, sin embargo, no estamos principalmente tratando acerca de maestros falsos que niegan al Señor. Sino estamos refiriéndonos a personas buenas que inadvertidamente hacen daño al descuidar la prioridad del amor. La revista de la Asociación Médica Americana volumen 284, número 4, 26 de julio del 2000 tiene un artículo escrito por la Doctora Bárbara Starfield, MD, MPH, de la Universidad de Higiene y Salud Pública de Johns Hopkins. En este artículo, la Dra. Starfield postula que *los errores médicos pueden ser la tercera principal causa de muerte en los Estados Unidos*. ¡Qué trágico es que alguien sufriera daños en un hospital por errores médicos! Es aun más trágico, sin embargo, cuando las personas de la iglesia son heridas por errores espirituales.

Los errores espirituales son mucho más serios que los físicos. Uno tiene consecuencias temporales, y el otro, consecuencias eternas. Por esta razón, las Escrituras advierten: **"Hermanos míos, no os hagáis maestros muchos de vosotros, sabiendo que recibiremos mayor condenación" (Santiago 3:1).** Así como pequeños frenos dirigen a un caballo grande, ó un pequeño timón guía a una nave grande, la lengua de un maestro puede guiar a grupos grandes de personas. Consecuentemente, Dios juzgará a maestros más estrictamente que a otros. En este sentido, cada maestro debe recordar la prioridad de amar, porque Jesús dice que seremos juzgados en el último día por las palabras que él ha hablado (Juan 12:48).

AMOR Y FE

Así como un doctor médico puede inadvertidamente herir a un paciente, los predicadores y maestros del evangelio pueden también inadvertidamente herir a sus hermanos en Cristo. Comencemos dando prioridad a la fe y el amor. Fe, como usted sabe, es esencial para la salvación. Sin fe es imposible agradar a Dios. La fe puede mover montañas, transplantar árboles y causar a personas pecadores ser justificados ante Dios. La fe es una doctrina bíblica importante, pero ¡el amor es más importante! Las Escrituras son explícitas:

"Y ahora permanecen la fe, la esperanza y el amor, estos tres: pero el mayor de ellos es el amor" (1 Corintios 13:13). Cuando a Jesús se le preguntó acerca del mandamiento más importante, ¡Su respuesta fue el amor, y no la fe! Como ambos (fe y amor) son esenciales para la salvación, puede parecer que no corresponde decir que uno es más importante que el otro, pero lo es. Por favor considere esta lección que debemos aprender de Martín Lutero y otros líderes de la Reforma. Ellos descubrieron la doctrina bíblica de justificación por fe, pero evidentemente no dieron prioridad al amor. Consecuentemente, el período de la Reforma fue caracterizada por guerras sin precedencia de cristianos matándose entre sí. Aquí hay unos ejemplos:

- Guerra de campesinos 1524-1525. En sólo Alemania más de 100,000 murieron en menos de 10 semanas.
- Saqueo de Roma y encarcelamiento del papa (1527) (4,000-6,000 murieron)
- La Segunda Guerra entre el Emperador y el Rey de Francia (1527-1529)
- La Primera Guerrade Cappel (1529)
- La Segunda Guerra de Cappel (1531)
- La Guerra de Schmalkald y la Paz de Augsburgo (1546-1555)
- Las Guerras de Hugenot (70,000 protestantes murieron en una sola noche, el 24 de agosto de 1572)
- La Guerra de Independencia en Holanda (18,000 ejecutados como herejes- 1567)
- La Guerra de los 30 Años (1618-1648) Millones murieron.

Increíblemente, todas estas guerras fueron luchadas por personas que decían ser cristianos, contra otras personas que también decían ser cristianos. Cuán diferente habría sido la historia de Europa si todos los creyentes hubieran dado prioridad al amor. **"El amor no hace mal al prójimo; así que el cumplimiento de la ley es el amor" (Romanos 13:10).**

AMOR Y GENEALOGIAS

El amor también es más importante que *genealogías.* Pablo escribió a Tito: **"Pero evita las cuestiones necias, y genealogías, y contenciones y discusiones acerca de la ley; porque son vanas y sin provecho" (Tito 3:9).** ¡Genealogías ciertamente son importantes!

- Es notable cuántas veces se encuentran genealogías en las Escrituras. En el libro de Génesis, por ejemplo, muchos capítulos están dedicados casi exclusivamente a genealogías (Capítulos 4, 5, 10, 36, 46, 49, etc.). En el resto del libro de Génesis, hay constantes referencias de quien dio a luz a quien, porque genealogías son importantes.
- El libro de Números no solo enfatiza genealogías, sino también provee un número exacto de las personas de cada tribu y familia.
- Las genealogías no solo eran importantes para establecer el linaje de Cristo, sino también para determinar cuales levitas y sacerdotes servirían en el tabernáculo y el templo.
- Esdras y Nehemías hicieron a las genealogías una parte importante de los libros que escribieron.
- Los primeros nueve capítulos de 1 Crónicas son genealogías.
- Mateo comienza su Evangelio con la genealogía de Jesús, desde Abraham hasta Cristo (véase Mateo 1).
- Lucas comienza con Jesús y anota su genealogía hasta Adán y Dios (véase Lucas 3:23-38).

Las genealogías en la Biblia son muy importantes. ¡Pero no son más importantes que el amor.

Por favor, considere con oración estas instrucciones inspiradas de Pablo a Timoteo:

> **Como te rogué que te quedases en Éfeso, cuando fui a Macedonia, para que mandases a algunos que no enseñen diferente doctrina, ni presten atención a fábulas y genealogías interminables, que acarrean disputas más bien que edificación de Dios que es por fe, así te encargo ahora. Pues el propósito de este mandamiento es el amor nacido de corazón limpio, y de buena conciencia, y de fe no fingida, de las cuales cosas desviándose algunos, se apartaron en vana palabrería (1Timoteo 1:3-6).**

¡Note! Aunque las genealogías son tan importantes, el amor es más importante. Poner a las genealogías antes que el amor es "desviarse". El propósito de este mandamiento de Dios no es las genealogías, sino el amor. Por eso Timoteo tenía que mandar a ciertos hombres a que dejasen de enseñar genealogías interminables. Muchas iglesias se han dividido y muchas denominaciones se han formado por doctrinas mucho menos bíblicos e importantes que "fe" y "genealogías".

el amor es el más excelente camino (1 Corintios 12:31) y elevar a cualquier doctrina por encima del amor es contrario a las enseñanzas de Cristo y ¡puede causar daño a los que estamos tratando de ayudar!

LECHE Y CARNE

Algunas doctrinas bíblicas son como leche, y otras son como carne. Maestros sabios, como padres sabios, saben la diferencia. Los que son espiritualmente inmaduros, pueden ser fácilmente heridos al darles carne cuando no están listos para ella. Las implicaciones de este error son serias pues Jesús dijo que si alguien causara tropezar a un pequeñito, sería mejor que esa persona fuera arrojada al mar con una piedra de molino atada alrededor de su cuello. Estos "pequeñitos" no son necesariamente niños. Justo antes de hablar estas palabras acerca de los "pequeñitos", Jesús reprendió a sus discípulos por criticar a un "hombre" que echaba fuera demonios (véase Marcos 9:38-42). Los que son adultos físicamente, pueden todavía ser infantes espiritualmente. No debemos herir a nadie, no importa su edad. Este principio es ilustrado varias veces en las Escrituras.

- Jesús tenía muchas cosas que él quería decir a sus discípulos, pero ellos eran demasiado inmaduros para oírlos (Juan 16:12).
- Pablo tenía quedar leche a los corintios, y no alimentos sólidos (1 Corintios 3:1-4).
- El escritor del libro de Hebreos quería enseñar doctrinas de madurez, pero no podía hacerlo sin herir a sus lectores. Consecuentemente, él tenía que repetir vez tras vez las verdades elementales del evangelio (Hebreos 5:11-6:3).
- Pablo escribió:

  Desechando, pues, toda malicia, todo engaño, hipocresía, envidias, y todas las detracciones, desead, como niños recién nacidos, la leche espiritual no adulterada, para que por ella crezcáis para salvación, si es que habéis gustado la benignidad del Señor (1 Pedro 2:1-3).

Un padre sabio no dará carne a un bebé, y un maestro sabio no dará carne espiritual a alguien que no es suficientemente maduro para recibirlo.

AMOR PARA LOS DÉBILES

También os rogamos, hermanos, que amonestéis a los ociosos, que alentéis a los de poco ánimo, que sostengáis a los débiles, que seáis pacientes para con todos (1 Tesalonicenses 5:14).

Pablo, por inspiración, dividió a los hermanos en Tesalónica en por lo menos 3 grupos: los "ociosos", los "tímidos" y los "débiles". Aunque debemos ser pacientes con todos, cada grupo sería diagnosticado y tratado de una manera que no les heriría. Algunas personas necesitan ser advertidas y disciplinadas. En 1 Corintios 5:9, por ejemplo, se nos manda a no asociarnos con personas inmorales con el propósito de que sean traídos nuevamente a Cristo. Las personas débiles, al contrario, necesitan nuestra comunión y ayuda. Necesitan ser apoyados, no criticados. Aquí hay otros pasajes acerca de los débiles.

> **En todo os he enseñado que, trabajando así, se debe ayudar a los necesitados (o débiles), y recordar las palabras del Señor Jesús, que dijo: Más bienaventurado es dar que recibir (Hechos 20:35).**

> **Recibid al débil en la fe, pero no para contender sobre opiniones (Romanos 14:1).**

> **Bueno es no comer carne, ni beber vino, ni nada en que tu hermano tropiece o se ofenda, o se debilite (Romanos 14:21).**

> **Así que, los que somos fuertes debemos soportar las flaquezas de los débiles, y no agradarnos a nosotros mismos (Romanos 15:1).**

> **Me he hecho débil a los débiles, para ganar a los débiles; a todos me he hecho de todo, para que de todos modos salve a algunos (1Corintios 9:22).**

El destruir a un hermano débil por su sabiduría es pecar contra Cristo:

> **Y por el conocimiento tuyo, se perderá el hermano débil por quien Cristo murió. De esta manera, pues, pecando contra los hermanos e hiriendo su débil conciencia, contra Cristo pecáis (1 Corintios 8:11 y 12).**

Pidamos en oración a Cristo sabiduría para que cuando nos extendamos para ayudar a otros, primeramente no hagamos daño.

HIJOS DE DIOS SON FAMILIA

. . . pues todos sois hijos de Dios por la fe en Cristo Jesús; porque todos los que habéis sido bautizados en Cristo, de Cristo estáis revestidos. Ya no hay judío ni griego; no hay esclavo ni libre; no hay varón ni mujer; porque todos vosotros sois uno en Cristo Jesús. Y si vosotros sois de Cristo, ciertamente linaje de Abraham sois y herederos según la promesa (Gálatas 3:26-29).

Por esta causa doblo mis rodillas ante el Padre de nuestro Señor Jesucristo, de quien toma nombre toda familia en los cielos y en la tierra (Efesios 3:14-15).

No reprendas al anciano, sino exhórtale como a padre; a los más jóvenes, como a hermanos; a las ancianas, como a madres; y a las jovencitas, como a hermanas, con toda pureza (1 Timoteo 5:1-2).

Porque el que santifica y los que son santificados, de uno son todos; por lo cual no se avergüenza de llamarlos hermanos . . . (Hebreos 2:11).

Note que la palabra “hermano” es usada vez tras vez en las Escrituras para describir la relación que los cristianos tenemos unos con otros. En Roma, por ejemplo, los cristianos tenían diferentes creencias acerca de días santas y dietas apropiadas. A pesar de estas diferencias, sin embargo, aún eran hermanos en Cristo.

Pero tú, ¿por qué juzgas a tu hermano? O tú también, ¿por qué menosprecias a tu hermano? Porque todos compareceremos ante el tribunal de Cristo (Romanos 14:10).

Pero si por causa de la comida tu hermano es contristado, ya no andas conforme al amor. No hagas que por la comida tuya se pierda aquel por quien Cristo murió (Romanos 14:15).

Bueno no es comer carne, ni beber vino, ni nada en que tu hermano tropiece, o se ofenda, o se debilite (Romanos 14:21).

. . . Os saluda Erasto, tesorero de la ciudad, y el hermano Cuarto (Romanos 16:23).

La palabra "hermano" es usada en la misma manera en Hechos, 1 y 2 Corintios, Efesios, Filipenses, Colosenses, 1 y 2 Tesalonicenses, Filemón, Hebreos, Santiago, 1 y 2 Pedro, 1 Juan y Apocalipsis.

En una familia, como usted sabe, hay personas de varias edades y habilidades. A un lado del espectro, tenemos a bebitos que no pueden entender muchas cosas porque son inmaduros. Al otro lado tenemos a personas ancianas que no pueden entender muchas cosas porque están seniles. Entre ambos grupos, tenemos otros miembros de la familia que no están de acuerdo porque tienen diferentes intereses, habilidades y experiencias. A pesar de nuestras debilidades y diferencias, sin embargo, todavía somos hermanos de la misma familia.

Se nos manda **". . . recibíos los unos a los otros, como también Cristo nos recibió, para gloria de Dios" (Romanos 15:7).** Si Jesús no se avergüenza de llamarnos hermanos, tampoco nosotros debemos avergonzarnos de llamarnos hermanos unos a otros. Si Jesús puede recibirnos a pesar de nuestras debilidades e imperfecciones, entonces también podemos recibir a otros a pesar de sus debilidades e imperfecciones.

DISCIPLINA EN FAMILIA

Porque la iglesia es como una familia amorosa, no quiere decir que no hay reglas, ni disciplina. Al contrario, las Escrituras son enfáticas:

Porque el Señor al que ama, disciplina, y azota a todo el que recibe por hijo. Si soportáis la disciplina, Dios os trata como a hijos; porque, ¿qué hijo es aquel a quien el padre no disciplina? Pero si se os deja sin disciplina, de la cual todos han sido participantes, entonces sois bastardos, y no hijos. Por otra parte, tuvimos a nuestros padres terrenales que nos disciplinaban, y los venerábamos. ¿Por qué no obedeceremos mucho mejor al Padre de los espíritus, y viviremos? Y aquéllos, ciertamente por pocos días nos disciplinaban como a ellos les parecía, pero éste para lo que nos es provechoso, para que participemos de su santidad. Es verdad que ninguna disciplina al presente parece ser causa de gozo, sino de tristeza; pero después da fruto apacible de justicia a los que en ella han sido ejercitados (Hebreos 12:6-11).

Así como hay un número infinito de maneras de disciplinar a nuestros hijos, Dios también tiene un número infinito de maneras de disciplinar a sus hijos. Note, sin embargo, estas 2 categorías generales. Primeramente hay los que tenemos que echar fuera de la comunión, y los de quienes debemos apartarnos.

En la primera instancia, las personas inmorales deben ser "entregadas a Satanás" (I Corintios 5:5). Los miembros de la familia de Dios no deben tener comunión con los que abiertamente están involucrados en inmoralidad.

Más bien os escribí que no os juntéis con ninguno que, llamándose hermano, fuere fornicario, o avaro, o idólatra, o maldiciente, o borracho, o ladrón; con el tal ni aun comáis (1 Corintios 5:11).

En el segundo lugar, debemos "alejarnos" o "distanciarnos" de los que son ociosos y no quieren trabajar.

Pero os ordenamos, hermanos, en el nombre de nuestro Señor Jesucristo, que os apartéis de

todo hermano que ande desordenadamente, y no según la enseñanza que recibisteis de nosotros . . . Porque también cuando estábamos con vosotros, os ordenábamos esto: 'Si alguno no quiere trabajar, tampoco coma' (2 Tesalonicenses 3:6,10).

Note la diferencia entre la manera que tratamos a personas inmorales, y a la manera que tratamos a gente ociosa. Cada forma de disciplina, como usted sabe, debe ayudar y no entorpecer a los que amamos.

El amor no evita disciplina, lo requiere. Las Escrituras son muy claras. Los que el Señor ama, él los disciplina. Padres amorosos, sin embargo, no deben provocar a ira a sus hijos pero deben criarlos en disciplina y amonestación del Señor (Efesios 6:4). Además de estas dos categorías amplias, hay un número infinito de maneras de practicar disciplina en el cuerpo del Señor. La asociación entre "disciplinar" y "discipulado" es obvio.

Primero, sin embargo, si verdaderamente amamos a alguien, nuestra disciplina no les hará daño: **"El amor no hace mal al prójimo; así que el cumplimiento de la ley es el amor" (Romanos 13:10).** Las prioridades de Jesús acerca del amor son aplicables otra vez en esta situación también.

AYUDA DEL ESPIRITU SANTO

. . . el fruto del Espíritu es amor (Gálatas 5:22).

Los discípulos de Jesús escucharon muchas lecciones acerca del amor. En el Sermón del Monte, por ejemplo, Jesús enseñó que, para agradar a Dios debemos amar a nuestros enemigos y hacer bien a los que nos odian. (Mateo 5:43-48; Lucas 6:27-36) Él también enseñó que toda la ley y los profetas dependen de dos mandamientos acerca del amor (Mateo 22:36-40; Marcos 12:28-34; Lucas 10:25-28). Jesús no solo enseñó constantemente acerca de la importancia del amor, él también dijo que era la manera principal que se identificaría a sus discípulos. **"Un mandamiento**

nuevo os doy: Que os améis unos a otros; como yo os he amado, que también os améis unos a otros. En esto conocerán todos que sois mis discípulos, si tuviereis amor los unos con los otros" (Juan 13:34-35).

El mandamiento de amar no era un mandamiento nuevo. La palabra "amar" se encuentra 16 veces únicamente en el libro de Deuteronomio. En efecto, el mandamiento de amar es parte del *Shema* que los judíos devotos repetían constantemente: **"Oye, Israel: Jehová nuestro Dios. Jehová uno es. Y amarás a Jehová tu Dios de todo tu corazón, y de toda tu alma, y con todas tus fuerzas" (Deuteronomio 6:4 y 5).** Amar al prójimo como a sí mismo también era una parte de la ley mosaica (Levítico 19:18).

La parte "nueva" de este mandamiento era que los discípulos ahora tenían que "Amar los unos a los otros *como yo os he amado*". ¡Aparentemente, los discípulos no podían hacer esto por sí solos! Escucharon estas lecciones por 3 años y sin embargo ellos obviamente no se amaban el uno al otro. En efecto, la noche antes de que Jesús muriera, ellos estaban discutiendo acerca de cuál de ellos sería el mayor (Lucas 22:24-27). Fue en esa noche, como usted sabe, que Jesús lavó los pies de sus discípulos (Juan 13:1-17). Fue también en la misma noche que él les prometió ayuda del Espíritu Santo. No debían ir y predicar hasta que hubiesen recibido "poder de lo alto" (Hechos 1:4-8).

Otra vez, debemos pausar y reflexionar en esta promesa. El poder que Jesús prometió no era para permitirles hacer milagros. Ya tenían ese poder. Años antes, él les había dado el poder de sanar a los enfermos, levantar a los muertos, limpiar a los leprosos, y echar fuera a los demonios (Mateo 10:8). Aparentemente, ¡es más difícil amar unos a otros que hacer milagros! Cuando vino el día de Pentecostés, sin embargo, el Espíritu descendió y recibieron poder de lo alto. Ahora se amaban los unos a los otros con tal intensidad que ni uno de ellos dijo que lo que poseía era suyo. Con esta clase de amor, no había personas necesitadas entre ellos (Hechos 4:32-35).

RAICES Y FRUTO

Jesús una vez contó una parábola acerca de una higuera que no dio fruto (véase Lucas 13:6-9). Después de 3 años el dueño decidió cortarlo. Un hombre en su empleo le pidió esperar un año más. Él prometió cavar alrededor de ella y fertilizarla. Entonces si no llevaba fruto, sería cortado. El punto es que hay una asociación entre "raíces" y "fruto".

Como usted ya sabe, el "fruto" del Espíritu es amor (Gálatas 5:22). Aun cuando alguien es verdaderamente convertido a Cristo, sin embargo, puede tomar tiempo para que el Espíritu Santo produzca amor en él. Como la higuera estéril necesitó tiempo para producir fruto, los nuevos convertidos también necesitan tiempo para producir fruto. Los judíos inmediatamente se amaron unos a otros en el día de Pentecostés. Pero pasaron años antes que llegaron a amar a los gentiles. Los apóstoles, como padres amorosos, necesitaban ser pacientes mientras sus convertidos crecían hacia la madurez.

Por favor, considere estas palabras de Pablo a los nuevos convertidos en Tesalónica:

> **. . . ni buscamos gloria de los hombres; ni de vosotros, ni de otros, aunque podíamos seros carga como apóstoles de Cristo. Antes, fuimos tiernos entre vosotros, como la nodriza que cuida con ternura a sus propios hijos. Tan grande es nuestro afecto por vosotros, que hubiéramos querido entregaros no sólo el evangelio de Dios, sino también nuestras propias vidas, porque habéis llegado a sernos muy queridos (1 Tesalonicenses 2:6-8).**

La conversión es instantánea. El momento que nos convertimos en cristianos nuestros pecados son perdonados, y recibimos el don del Espíritu Santo. Aun en nuevos convertidos hay una medida de amor, pero ese amor crecerá más y más mientras maduramos en Cristo. Por eso Pablo también escribió a los tesalonicenses:

> **Pero acerca del amor fraternal no tenéis necesidad de que os escriba, porque vosotros mismos habéis aprendido de Dios que os améis unos a otros; y también lo hacéis así con todos los hermanos que están por toda**

> **Macedonia. Pero os rogamos, hermanos, que abundéis en ello más y más (1 Tesalonicenses 4:9 y 10).**

AMOR NO HACE DAÑO

> **El amor no hace mal al prójimo; así que el cumplimiento de la ley es el amor (Romanos 13:10).**

Cada día, miles de bebes nacen. Como usted sabe, no vienen con un manual de instrucciones. Aunque si fuera verdad, millones de madres no podrían leerlo porque son analfabetos. Pero, las madres están dotadas por Dios con un amor poderoso para sus recién nacidos. Quizás ninguna criatura en el mundo es más vulnerable al nacer como el bebé humano, sin embargo el amor de la madre suple esa falta frente a los peligros y dificultades de criar ese niño hasta la madurez.

Ella necesita amor mucho más que una lista de reglas y reglamentos. No importa cuán desagradable el clima, cuan escasa la comida, o lo peligroso el ambiente, el amor de una madre nutre y protege a su bebito. Ninguna cantidad de dinero puede comprar el amor de una madre. La madre es como un buen pastor, y el jornalero no lo es.

Así es también en el mundo del Espíritu. Así como el amor es indispensable en la familia humana, también es esencial en la familia de Dios. El amor es el primero y más importante ingrediente en traer a un pecador perdido a un conocimiento salvador del Señor Jesucristo. Jesús dijo: **"En esto conocerán todos que sois mis discípulos, si tuviereis amor los unos con los otros" (Juan 13:35).** El amor es también la fuerza impulsadora que se necesita para exitosamente traer a un nuevo convertido a la madurez en Cristo. Jesús dijo: **"Si me amáis, guardad mis mandamientos" (Juan 14:15).** El poder del amor nos hace servir los unos a los otros, aun como sirven los esclavos. En efecto, la ley entera se suma en un solo mandamiento, que nos amemos los unos a los otros (Gálatas 5:13 y 14). Aun personas que no pueden leer o escribir pueden ser enseñadas por Dios a amar a los demás.

Es el poder del amor que nos motiva, o constriñe. Pablo escribió: **"Porque el amor de Cristo nos constriñe" (2 Corintios 5:14).** La palabra bíblica traducida como "constriñe" es usada en Lucas 22:63 para describir el arresto de Jesús. Así como Jesús fue arrestado y constreñido a ir donde él sufriría, el amor a Cristo constriñó a Pablo a ir donde el también sufriría. No hay impulso más poderoso para evangelizar a los perdidos que el amor.

La congregación en Corinto tenía muchos problemas. Cómo un doctor hábil diagnostica a un paciente enfermo, Pablo concluyó que ellos necesitaban más amor. En su mente iluminada, el amor era más importante que hablar en lenguas, o manifestar una fe que moviera montañas. Si realmente no quiere herir a alguien, por favor considere con oración estas palabras inspiradas:

> **Procurad, pues, los dones mejores. Mas yo os muestro un camino aun más excelente. Si yo hablase lenguas humanas y angélicas, y no tengo amor, vengo a ser como metal que resuena o címbralo que retiñe. Y si tuviese profecía, y entendiese todos los misterios y toda ciencia, y si tuviese toda la fe, de tal manera que trasladase los montes, y no tengo amor, nada soy. Y si repartiese todos mis bienes para dar de comer a los pobres, y si entregase mi cuerpo para ser quemado, y no tengo amor, de nada me sirve. El amor es sufrido, es benigno; el amor no tiene envidia, el amor no es jactancioso, no se envanece; no hace nada indebido, no busca lo suyo, no se irrita, no guarda rencor; no se goza de la injusticia, mas se goza de la verdad. Todo lo sufre, todo lo cree, todo lo espera, todo lo soporta. El amor nunca deja de ser; pero las profecías se acabarán, y cesarán las lenguas, y la ciencia acabará. Porque en parte conocemos y en parte profetizamos; mas cuando venga lo perfecto, entonces lo que es en parte se acabará. Cuando yo era niño, hablaba como niño, pensaba como niño, juzgaba como niño; mas cuando ya fui hombre, dejé lo que era de**

niño. Ahora vemos por espejo, oscuramente; mas entonces veremos cara a cara. Ahora conozco en parte; pero entonces conoceré como fui conocido. Y ahora permanecen la fe, la esperanza y el amor, estos tres; pero el mayor de ellos es el amor (1 Corintios 12:31 — 13:13).

SOCORRO DEL ESPÍRITU SANTO

No os dejaré huérfanos; vendré a vosotros (Juan 14:18).

El Señor Jesús dijo estas palabras a sus discípulos en el aposento alto la noche antes de ser crucificado. Había estado constantemente con ellos por tres años y ahora iba a dejarlos. Su mandato principal hasta entonces había sido "sígueme". Se encuentra este mandato 77 veces en los cuatro evangelios. Ahora, iba a un lugar donde ellos no podían seguirle. Sus palabras eran explícitas: **"A donde yo voy, no me puedes seguir ahora, más me seguirás después"** (Juan 13:36). Estas palabras les causaron gran congoja. Por eso, el Señor Jesús les dijo: **"no se turbe vuestro corazón; creéis en Dios, creed también en mí"** (Juan 14:1).

En la misma manera que Dios les amaba, el Señor Jesús también les amaba. Por consecuencia, no les abandonaría ni les dejaría como huérfanos. Aunque el Señor Jesús iba a irse, iba a regresar a ellos. No obstante, esta vez no vendría a ellos con un cuerpo humano. Esta vez vendría como el Espíritu Santo. *La promesa de su presencia y dirección por medio del Espíritu Santo no fue solamente para los apóstoles, sino es para todos los cristianos.* De hecho, las Escrituras claramente enseñan que los que son hijos de Dios son guiados por el Espíritu de Dios (Romanos 8:14). También las Escrituras enseñan que si alguno no tiene el Espíritu de Cristo, no es de él (Romanos 8:9). Si usted es un hijo de Dios, ¡tiene su promesa que el Espíritu Santo le guiará!

En un aspecto, el mandato "sígueme" era fácil de cumplir. No requería dinero, ni inteligencia, ni educación. Era sencillo. Cuando el Señor Jesús tomó un paso, ellos tomaron un paso. Cuando el Señor Jesús se fue a la derecha, ellos se fueron a la derecha. Cuando el Señor Jesús se paró, ellos se pararon.

No obstante, desde otro punto de vista el mandato "sígueme" fue muy difícil. El seguir al Señor Jesús requería dejar a su familia y sus amigos. Requería dejar sus planes para seguir los planes de él. Requería dejar el trabajo y la seguridad terrenal. **"Las zorras tienen guaridas, y las aves de los cielos nidos; mas el Hijo del hombre no tiene dónde recostar la cabeza"** (Lucas 9:58). El seguir al Señor Jesús requería compromiso y abnegación. Por eso, los discípulos tuvieron que tomar una decisión muy difícil. ¿Serían los gobernadores de sus propias vidas o se someterían al Señor Jesús? Como usted ya sabe, el seguir al Señor Jesús involucra el tomar su cruz cada día (Mateo 16:24). Obviamente, la mayoría de la gente no quiere hacer el sacrificio necesario para seguir al Señor Jesús. Recuerde que: **"estrecha es la puerta y angosto el camino que lleva a la vida, y pocos son los que la hallan"** (Mateo 7:14).

Sin embargo, los que se deciden seguir al Señor Jesús escogen lo correcto. Los seguidores del Señor Jesús no sólo se benefician grandemente en este mundo, sino en el mundo venidero. El Señor Jesús sucintamente lo dijo: **"¿Qué aprovechará al hombre, si ganare todo el mundo, y perdiere su alma?"** (Mateo16:26).

Las Escrituras están llenas de ejemplos de la misma manera en que la presencia del Señor Jesús ayudó a sus discípulos unos 2000 años atrás. He aquí algunos:

- Porque el Señor Jesús acompañaba a sus discípulos, los guió a pescar grandes cantidades de peces (Lucas 5:1-11; Juan 21:1-14). Siendo pescadores, esto les ayudó a pagar sus cuentas y alimentara sus familias.
- Cuando Pedro necesitaba dinero para pagar el impuesto del templo, el Señor Jesús le ayudó conseguirlo. Le dijo que debía echar el anzuelo al lago y el primer pez que sacó tendría en la boca una moneda para pagar la cuenta (Mateo17:27).
- Cuando el Señor Jesús estaba presente, a nadie le faltaba alimento. ¡Recuerde! El Señor Jesús alimentó a miles de personas con solamente unos pocos pescados y unos pocos panes (Mateo 15:29-39; Juan 6:1-15). La habilidad del Señor Jesús de alimentar a personas hambrientas causó que la gente quería obligarlo a ser su rey (Juan 6:15).
- No había un demonio tan poderoso que el Señor Jesús no podía expulsarlo (Marcos 9:14-29).

- No había tormenta tan grande que el Señor Jesús no podía calmar la (Marcos 4:35-41).
- No había enfermedad tan grave que el Señor Jesús no podía sanarla.
- No había pregunta tan difícil que el Señor Jesús no podía contestarla.
- Aun una higuera le escuchó y obedeció su mandato (Marcos 11:12-25).
- Los muertos también escucharon y obedecieron su voz (Juan 11:38-44).

Con razón los discípulos del Señor Jesús estaban afligidos cuando les dijo que iba a irse a donde ellos no podían seguirle. *¡Pero recuerde! El Señor Jesús prometió que no los dejaría huérfanos. Aunque iba a salir, regresaría a ellos. Sin embargo, esta vez el Señor Jesús regresaría en forma del Espíritu Santo.*

¡Dado que la presencia del Señor Jesús ayudó a sus discípulos unos 2000 años atrás, podemos estar seguros que la presencia del Señor Jesús también ayudará a sus discípulos hoy en día!

EL ESPÍRITU SANTO

Pero yo os digo la verdad: Os conviene que yo me vaya; porque si no me fuera, el Consolador no vendría a vosotros; mas si me fuere, os lo enviaré (Juan 16:7).

Cuando el Señor Jesús estaba en su cuerpo físico, sólo podía estar en un sitio a la vez. Cuando estaba en el monte, no podía estar en el valle. Cuando estaba en Capernaúm, no podía estar en Jerusalén. Sin embargo, cuando el Señor Jesús fue liberado de su cuerpo, podía estar en todo lugar a la vez. El Espíritu Santo no está limitado ni por tiempo ni por espacio. Por eso, fue necesario que el Señor Jesús se fuera, para que pudiera regresar como el Espíritu Santo.

El Espíritu Santo hace posible que el milagro de la salvación esté disponible a la gente del mundo entero. En otro tiempo el pueblo de Dios podía adorarle solamente en Jerusalén (Deuteronomio 12:13 y 14). Ahora no importa el lugar de adoración del pueblo de Dios, porque la verdadera adoración no está limitada a un solo lugar, sino se le adora en espíritu y verdad (Juan 4:21-24). ¡No hay nada más claro! Para encontrar a Cristo, no es necesario ascender a los cielos para traer abajo a Cristo, ni descender al abismo para hacerle subir de entre los muertos (Romanos 10:6, 7). Siempre está cerca el Espíritu del Señor Jesús. Aun ahorita, él está tocando a la puerta de su corazón, deseando entrar (Apocalipsis 3:20). Entonces si confiesa con su boca que Jesús es el Señor, y cree en su corazón que Dios le levantó de entre los muertos, será salvo (Romanos 10:9).

DIRECCIÓN DISTINTA

Durante tres años el Señor Jesús había cuidado a sus discípulos como un pastor cuida a sus ovejas. ¡Por eso les dijo "seguidme"! Esta es la misma manera en que Dios guió a su pueblo en el desierto. Dios los guió de día con una columna de nube y de noche con una columna de fuego (Éxodo 13:21). Obviamente, la nube y el fuego estaban fuera de la gente, de la misma manera en que el pastor está fuera de las ovejas. Cuidado más específico para el pueblo hebreo vino cuando marchaban en pos del arca del pacto que fue llevado por los sacerdotes. No obstante, el pueblo no podía acercarse al arca, sino tenía que quedarse a una distancia de aproximadamente un kilómetro (Josué 3:4).

No obstante, el Señor Jesús nos ha prometido guiarnos de otra manera. Ahora guiará a sus discípulos de *adentro*. Él prometió: **"El que me ama, mi palabra guardará; y mi Padre le amará, y vendremos a él, y haremos morada con él** (Juan 14:23). De la misma manera en que el Señor Jesús preparará lugar para nosotros (Juan 14:2), nosotros también necesitamos preparar un lugar para él (Juan 14:23).

La palabra griega que se usa para describir esta morada es *mone*. Se encuentra esta palabra solamente dos veces en la Biblia. En Juan 14:2 Jesús menciona el hogar que nos está preparando en los cielos. La otra vez está en Juan 14:23 donde Jesús promete que él y su Padre harán morada con los que le aman a Jesús. De la misma manera en que el Señor Jesús nos está preparando una "morada", nosotros también necesitamos preparar una "morada" para él.

Hoy en día el pacto de Dios no está fuera de nosotros, llevado por sacerdotes, sino el pacto de Dios está dentro de nosotros. Su nuevo pacto está escrito en nuestros corazones y en nuestras mentes (Hebreos 8:10; 10:16). Hoy en día, nuestros cuerpos son templos del Espíritu Santo (1 Corintios 6:19).

Por favor, considere:

- Por tres años, el Señor Jesús había guiado a sus discípulos desde afuera.
- La noche antes de su crucifixión, él dijo que iba a donde ellos no podían ir en ese momento.
- No obstante, les prometió a ellos que ni los abandonaría ni los dejaría huérfanos.
- Específicamente, él prometió que vendría a ellos: **"No os dejaré huérfanos; vendré a vosotros** (Juan14:18).
- El Señor Jesús cumplió esa promesa. Vino a sus discípulos y seguía guiándolos. Sin embargo, esta vez la dirección vino de *adentro* de ellos. Obviamente, el Señor Jesús no está dentro de todos porque no todos son cristianos. ¡Esta promesa es sólo para los creyentes verdaderos! El Señor Jesús dijo específicamente que la promesa de su Espíritu que mora dentro es para los que le aman y guardan su Palabra (Juan 14:23). Estos son los que en sus corazones preparan un lugar para el Señor Jesús.

Como ya hemos dicho, esta promesa maravillosa no fue solamente para los discípulos, sino es para todos los creyentes quienes aman al Señor Jesús y guardan su Palabra. También las Escrituras prometen que **". . . todos los que le recibieron, a los que creen en su nombre, les dio potestad de ser hechos hijos de Dios** (Juan 1:12). Por supuesto, los que reciben al Señor Jesús y llegan a ser hijos de Dios, recibirán dirección especial de su Padre celestial (Mateo 7:7-11).

BESTIAS, AVES, PECES

Y en efecto, pregunta ahora a las *bestias*, y ellas te enseñarán; A las *aves* de los cielos, y ellas te lo mostrarán. O habla a la tierra, y ella te enseñará; los *peces* del mar te lo declararán también. ¿Qué cosa de todas estas no entiende que la mano de Jehová la hizo? (Job 12:7-9).

La dirección de adentro no es nada nuevo. Es algo que Dios ha estado haciendo desde el principio de la creación. Job sabía eso y dijo que debemos aprender de las bestias, las aves, y los peces. Las bestias, las aves y los peces tienen sistemas de navegación asombrosos que Dios ha puesto dentro de ellos. Efectivamente, podemos aprender algo de ellos.

Vea, por ejemplo, los muchos animales distintos que posean la habilidad de emigrar. En África, miles de antílopes, cebras, y ñus viajan largas distancias sin alguien que los guíe y sin una brújula. Dios los guía de adentro. Debido a este sistema de navegación, pueden sobrevivir cuando hay falta de alimentos y agua que los destruyera. En Norte América, el mismo sistema de navegación de adentro se manifiesta en muchos otros animales como el caribú, el alce, el ciervo y la oveja. Otra vez, estos animales no emigran porque son guiados por un líder de afuera. Su habilidad de emigrar viene de la información que Dios ha puesto dentro de ellos. Dios ha puesto un sistema de navegación asombroso en los animales de todo el mundo. Efectivamente, podemos aprender de ellos.

Dios ha dado a las aves la habilidad de emigrar miles de kilómetros sin alguien que las guíe. Mientras muchas aves distintas tienen la habilidad de emigrar, el campeón de todas ellas es la golondrina ártica. Esta criatura asombrosa pesa solamente 300 gramos, sin embargo, vuela desde el Ártico hasta el Antártico y regresa cada año. Ida y vuelta es un viaje de más de 35,000 kilómetros. Este viaje asombroso se hace sin mapa, ni guía, ni lecciones de navegación. No sólo Job nos pidió que aprendiéramos de las aves, sino el Señor Jesús también nos pidió que las tomáramos en cuenta. El Señor Jesús nos recordó que: **". . . las aves del cielo no siembran, ni siegan, ni recogen en graneros; y vuestro Padre celestial las alimenta"** (Mateo 6:26). Siendo que nosotros somos mucho más valiosos que las aves, no hay de qué preocuparnos. Si Dios cuida de las aves, sin duda cuidará de nosotros. Como ha dicho Job, ciertamente podemos aprender algo de las aves.

Podemos también aprender de los peces. Dios también ha dado a las criaturas del mar un sistema de dirección interior. Por ejemplo, la anguila europea de agua dulce nace en el mar de los

Sargazos al sur de Bermuda. En la primera etapa de su vida, ésta es llevada miles de kilómetros por las corrientes del océano Atlántico hasta Europa. Durante los próximos 6 a 20 años, vive en los ríos de agua dulce europeos. No obstante, antes de morir, Dios la guía de regreso a través del océano Atlántico al lugar de su nacimiento. Allí pone sus huevos y muere. Este sistema de navegación que Dios ha puesto en la anguila europea no es único. Se encuentra en muchas especies distintas de peces. Por supuesto, el sistema de dirección que Dios pone dentro del cristiano es muy superior al que pone en los peces.

También los insectos tienen un sistema de navegación interior. Muchas distintas especies de insectos poseen la habilidad asombrosa de emigrar. Por ejemplo, la mariposa monarca empieza su ciclo de vida en un algodoncillo en México. Algunas generaciones después, durante el mismo año, sus descendientes estarán en Canadá. De alguna manera, Dios pone dentro de la mariposa la habilidad de volar de regreso a México para que pueda escapar del invierno canadiense tan severo y así sobrevivir.

Como ya hemos dicho, Dios ha puesto un sistema de navegación en miles de tipos distintos de insectos. Por ejemplo, las hormigas también tienen un sistema de navegación interior. De alguna manera, miles de hormigas se comunican para que puedan actuar en conjunto. Igual como otros insectos, esta unión no viene del exterior. Las Escrituras específicamente dicen que las hormigas trabajan como un conjunto, sin tener "un capitán, ni gobernador, ni señor" (Proverbios 6:7). Si Dios puede guiar a los insectos de adentro, seguramente puede también guiar al cristiano de adentro. Como escribió Job, inspirado por Dios, nosotros debemos aprender de las bestias, las aves y los peces.

Sin embargo, tenemos que hacerle recordar otra vez que este sistema de dirección tan maravilloso no es para todos. Una persona tendrá que "nacer de nuevo" para recibirlo (Juan 3:1-8).

LA BIBLIA

Por supuesto, la manera primaria en que Dios guía a su pueblo es por medio de la Biblia. Sin embargo, la Biblia no provee dirección hasta que su mensaje esté dentro de nosotros. Una Biblia que se queda en el estante sin leer, no da dirección a nadie. Por eso es importante que estudiemos la Palabra de Dios para recibirla en nuestros corazones. David dijo: **"En mi corazón he guardado tus dichos, para no pecar contra ti"** (Salmo 119:11). Las personas piadosas meditan en la ley de Dios de día y de noche (Salmo 1:2).

Cada vez que el Señor Jesús fue tentado en el desierto, citó las Escrituras (Mateo 4:4, 7, 10). Entre esas tentaciones, cuando fue tentado por el diablo a convertir piedras en pan, él citó Deuteronomio 8:3: **"No sólo de pan vivirá el hombre, sino de toda palabra que sale de la boca de Dios** (Mateo 4:4). La Palabra de Dios no es sólo una luz. También es una espada. Es nuestra arma principal que Dios nos da para vencer al diablo (Efesios 6:17; Hebreos 4:12). Los que no conocen la Biblia están sin defensa ante el diablo.

He aquí el pasaje que el Señor Jesús citó de Deuteronomio: **"Y te afligió, y te hizo tener hambre, y te sustentó con maná, comida que no conocías tú, ni tus padres la habían conocido, para hacerte saber que no sólo de pan vivirá el hombre, mas de todo lo que sale de la boca de Jehová vivirá el hombre"** (Deuteronomio 8:3). Por favor, nótese que Dios alimentó a su pueblo con maná para advertirles de la importancia de leer las Escrituras. La palabra "maná" quiere decir *¿qué es esto?* (Éxodo 16:15). Nadie había visto algo parecido antes. Fue blanco como la semilla de culantro y de él pudieron confeccionar panes que tenían el sabor de hojuelas con miel (Éxodo 16:31).

Aunque el maná era gratis y cayó del cielo, no fue fácil recogerlo.

- Obviamente, tuvieron que recoger el maná fuera del campo. Debido a que había miles de personas recogiéndolo, era necesario para algunos caminar largas distancias para que pudieran encontrar su cuota diaria.
- El maná no apareció hasta que cesara de descender el rocío (Éxodo16:14), y cuando el sol calentaba, sederretía (Éxodo 16:21). Esto dejó sólo un período corto para que los israelitas recogieran el maná.
- Moisés escribió que Dios los hizo tener hambre (Deuteronomio 8:3). El recoger el maná fue tan difícil que habrían muerto de inanición si su hambre no les hubiera obligado a recoger su comida para cada día.

- Dado que estaban en el desierto con miles de otros, había una competencia por el maná. Debido a que estaban en el desierto, también había una competencia para el agua y la leña que eran necesarias para preparar el maná.
- Nótese otra vez la conexión que las Escrituras hacen entre el recoger el maná y el estudiar la Palabra de Dios. Dios causó que los israelitas tuvieran hambre y los alimentó con maná *para enseñarles que ¡no sólo de pan vivirá el hombre, sino de toda palabra que sale de la boca de Dios!*

El recoger el maná no era fácil. ¡Tampoco es fácil estudiar la Biblia!

MÁS NOBLES

Inmediatamente, los hermanos enviaron de noche a Pablo y a Silas hasta Berea. Y ellos, habiendo llegado, entraron en la sinagoga de los judíos. Y estos eran más nobles que los que estaban en Tesalónica, pues recibieron la palabra con toda solicitud, escudriñando cada día las Escrituras para ver si estas cosas eran así (Hechos 17:10 y 11).

En la época de los apóstoles, había pocas copias de las Escrituras y eran costosas y difíciles de obtener. Dado que Pablo predicaba más de un mil años antes de la invención de la prensa, tuvieron que copiar todas las Escrituras a mano. Es posible que había solamente una copia en Berea y ésta hubiera estado bajo llave en la sinagoga local. Para los de Berea, el estudiar las Escrituras era difícil, igual como era el recoger el maná. Su hambre por la Palabra de Dios los obligaba a dejar sus hogares y caminar hasta la sinagoga.

También, igual como el recoger el maná, debió haber competencia. Obviamente, no todos podían leer las Sagradas Escrituras a la vez. Es posible que cuando llegaron a la sinagoga, ya había mucha gente en fila delante de ellos.

Cuando los más nobles de Berea sí podían escudriñarlas, no fue fácil encontrar los pasajes citados por Pablo. Las Escrituras no estaban divididas en capítulos hasta unos 1200 años después de aquella época, y no estaban divididas en versículos hasta unos 1500 años después de esa época. Hoy en día podemos encontrar un pasaje en la Biblia por libro, capítulo, y versículo. Los nobles de Berea no podían hacer esto.

Sin embargo, ¡la biblia enseña que estos de sentimientos más nobles, recibieron el mensaje con toda avidez y todos los días examinaban las escrituras para ver si era verdad lo que se les anunciaba!

Si los hebreos pudieron recoger el maná cada día y
Si los de Berea pudieron estudiar las Escrituras cada día,
Nosotros también podemos recibir el mensaje de Cristo con afán y estudiar nuestras Biblias todos los días!

SABIDURÍA DE LO ALTO

Y si alguno de vosotros tiene falta de sabiduría, pídala a Dios, el cual da a todos abundantemente y sin reproche, y le será dada. Pero pida con fe, no dudando nada; porque el que duda es semejante a la onda del mar, que es arrastrada por el viento y echada de una parta a otra. No piense, pues, quien tal haga, que recibirá cosa alguna del Señor. El hombre de doble ánimo es inconstante en todos sus caminos (Santiago 1:5-8).

Aunque estudiésemos la Biblia todos los días, aún habría muchas preguntas no directamente contestadas en ella. Y si memorizásemos la Biblia entera, aún habría algunas preguntas no tratadas en las Escrituras. Por ejemplo, la Biblia no nos dice dónde vivir, ni con quién debemos casarnos. No nos dice con qué ropa debemos vestirnos ni cómo debemos ganarnos la vida. Aunque la Biblia está llena de principios que nos guían en nuestras vidas diarias, quedan muchas preguntas específicas no contestadas. Por eso, las Escrituras nos dicen que debemos orar pidiendo sabiduría.

Un predicador conocido mío, vivía en una comunidad de 24,000 habitantes. Empezó cada día orando pidiendo sabiduría. Él creía que si Dios podía guiar a Felipe al eunuco etíope, podía también guiarle a él a los que estaban dispuestos a recibir a Cristo (véase Hechos 8:26-40). Cuando le faltaba sabiduría, oraba para recibirla. No vacilaba en su creencia y Dios honró su fe al darle la sabiduría que él le pidió. Por consiguiente, este hombre pudo guiar a miles de personas a Cristo.

La dirección de Dios es una maravillosa clave al éxito en todos los aspectos de la vida. Recuerde que Pedro y los otros pescadores trabajaban toda la noche sin pescar ningún pez (Véase Lucas 5:1-11). No obstante, cuando Jesús les dio dirección, tuvieron gran éxito. Cuando estos hombres dejaron sus redes y siguieron al Señor Jesús, él prometió hacerles pescadores de hombres (Mateo 4:19; Marcos 1:17). La relación entre la dirección de Dios y el evangelismo es obvia. En la misma manera en que el Señor Jesús los guió a tener éxito en pescar peces, los guió a pescar hombres.

La dirección de Dios también era importante en la vida del Apóstol Pablo. En una ocasión, quería predicar el Evangelio en Asia, pero el Espíritu Santo no se lo permitió en aquel momento (Hechos 16:6). Cuando Dios siguió a Pablo a predicar ahí, tuvo tanto éxito que todos los de Asia escucharon la Palabra del Señor Jesús, los judíos y los griegos (Hechos 19:10). A veces, el Espíritu Santo nos guía a predicar en el momento preciso para pescar la mayor cantidad de peces para el Señor Jesús.

Es emocionante darnos cuenta que la obediencia a la dirección del Espíritu Santo nos permite participar en la sabiduría eterna de Dios. El Señor Jesús lo dijo así: **"De cierto, de cierto os digo: No puede el Hijo hacer nada por sí mismo, sino lo que ve hacer al Padre; porque todo lo que el Padre hace, también lo hace el Hijo igualmente"** (Juan 5:19). ¿Entiende usted este principio? ¡Si usted puede ver y entender lo que Dios está haciendo, podrá participar en ello! Eso es lo que hizo el Señor Jesús, y eso es lo que nosotros también podemos hacer.

Mire, por ejemplo, la historia de cómo Simón Pedro llegó a predicar a los gentiles. Dios declaró antes de la fundación del mundo que quería que fueran salvos los gentiles (Efesios 3:1-13). No obstante, Pedro no entendía eso. Por consecuencia, Dios empezó a trabajar con Pedro para que lo entendiera. Esta historia maravillosa se encuentra en Hechos, capítulo 10. Primero, Dios le envió a un ángel al centurión gentil, un devoto que se llamaba

Cornelio. El ángel dijo a Cornelio que mandara llamar a Simón Pedro desde Jope y él le diría qué hacer. No obstante, Pedro no vio o no entendió inmediatamente lo que Dios hacía. Dios le dio a Pedro una visión desde los cielos en tres ocasiones distintas, pero aún Pedro no entendió. Entonces el Espíritu Santo dijo a Pedro que tres hombres le esperaban y que debía bajar y no dudar en ir con ellos. Cuando Pedro llegó a la casa de Cornelio, por fin vio lo que Dios hacía y dijo: **"En verdad comprendo que Dios no hace acepción de personas, sino que en toda nación se agrada del que le teme y hace justicia"** (Hechos 10:34 y 35).

De esta manera, Pedro puso en práctica el principio declarado por el Señor Jesús. Pedro no podía hacer nada por sí mismo. No obstante, cuando vio lo que el Padre hacía, podía ser un participante. En maneras parecidas, Dios puede dar sabiduría sobrenatural a cada uno de nosotros que se la pida con fe. ¡Si usted pide a Dios sabiduría sin dudar, la recibirá!

NO FALTA MANERA

¡Dios es Dios! Como el Soberano del universo, él tiene control total. Dios puede guiarle en cualquier manera que escoja. Puede guiarle con la Escritura, ángeles, sueños, visiones, los consejos de amigos o cualquier otra manera que él elija. No obstante, generalmente no es necesario que Dios use algo sobrenatural. Dado que el Señor Jesús mora en nuestros corazones por fe, puede darnos dirección por medio del poder de su Espíritu que está dentro de nosotros (Efesios 3:15-21).

Una manera en que Dios puede guiarnos es darnos o quitarnos nuestra tranquilidad. Por favor, considere:

> **Y la paz de Dios gobierne en vuestros corazones, a la que asi mismo fuisteis llamados en un solo cuerpo; y sed agradecidos. La palabra de Cristo more en abundancia en vosotros, enseñándoos y exhortándoos unos a otros en toda sabiduría, cantando con gracia en vuestros corazones al Señor con salmos e himnos y cánticos espirituales. Y todo lo que hacéis, sea de palabra o de hecho,**

hacedlo todo en el nombre del Señor Jesús, dando gracias a Dios Padre por medio de él (Colosenses 3:15-17).

Cuando la Palabra de Dios mora ricamente dentro de nosotros, recibimos sabiduría especial de Dios. Cuando estamos haciendo lo que su Espíritu nos dice hacer, tenemos paz. Cuando estamos haciendo algo que el Señor Jesús no quiere que hagamos, no tenemos paz. En esta manera, la paz de Dios nos ayuda a gobernar nuestras vidas. Cuando estamos alertos a esta dirección interior, cualquier cosa que hagamos, sea de palabra o de hecho, puede ser hecho en el nombre de nuestro Señor Jesucristo.

NO COMO CABALLO

Te haré entender. Y te enseñaré el camino en que debes andar; sobre ti fijaré mis ojos. No seáis como el caballo, o como el mulo, sin entendimiento, que han de ser sujetados con cabestro y con freno, porque si no, no se acercan a ti (Salmo 32:8-9).

Dios quiere guiarnos con su mirada. Por otra parte, los caballos y mulos no tienen entendimiento y tienen que ser guiados por la fuerza. Por ejemplo, Jonás era como un caballo o mulo. Dios quería que predicara al pueblo de Nínive, pero se rebeló y se fue en la dirección opuesta. Por eso, Dios preparó un gran pez para que lo tragara. Después de tres días dentro de ese pez con su cabeza enredada en el alga, decidió hacer lo que Dios le había mandado hacer (Véase Jonás 1:1 – 4:11). Dios quiere que estemos atentos a su dirección en nuestras vidas, no como Jonás o los caballos y mulos.

Cuando Pedro desobedeció a Cristo y lo negó tres veces, no fue necesario que Dios le disciplinara con una vara y castigo físico. Sólo una mirada de los ojos del Señor Jesús era suficiente.

Y Pedro dijo: Hombre, no sé lo que dices. Y en seguida, mientras él todavía hablaba, el gallo cantó. Entonces, vuelto el Señor, miró a Pedro;

y Pedro se acordó de la palabra del Señor, que le había dicho: Antes que el gallo cante, me negarás tres veces. Y Pedro, saliendo fuera, lloró amargamente (Lucas 22:60-62).

Como ya hemos dicho, Dios es soberano. Él es todopoderoso. Su dirección en nuestras vidas no es limitada a maneras que el hombre pueda entender. A veces, cuando todo lo demás fracasa, Dios podría escoger llamar nuestra atención con algo que es sobrenatural.

- Dios llamó la atención a Moisés con una zarza ardiente que no se consumía (Éxodo 3:3).
- Dios llamó la atención a los israelitas cuando temblaba el monte Sinaí y estaba cubierto por humo y fuego (Éxodo 19:16-19).
- Dios llamó la atención a Balaam cuando habló su asna con una voz humana (Números 22:21-35).
- Dios habló a Samuel con una voz humana (1 Samuel 3:1-14).
- Dios llamó la atención a Jonás cuando fue tragado por un gran pez (Véase el libro de Jonás).
- Dios llamó la atención a Saulo por medio de un resplandor de luz del cielo (Hechos capítulos 9,22, y 26).
- A veces Dios nos habla con un silbo apacible y delicado (1 Reyes 19:12).
- Dios a veces nos llama la atención por medio de sueños raros. Esto lo hizo con:
  - ◊ Jacob (Génesis 31:10-13)
  - ◊ José (Génesis 37:5-11)
  - ◊ Faraón (Génesis 41:1-7)
  - ◊ Nabucodonosor (Daniel 2:1-3;4:4-6)
  - ◊ Los magos (Mateo 2:12)
  - ◊ José y María (Mateo 2:13)

Sin embargo, usted puede estar totalmente seguro de que si es un hijo de Dios, él realmente quiere darle dirección. Si el Señor Jesús es su Pastor, oirá su voz y le seguirá (Juan 10:27). Hay muchas analogías en la Biblia para que nos demos cuenta que el Señor Jesús no nos ha dejado huérfanos. He aquí algunas de ellas:

- ◊ Pastor–ovejas (Juan 10:27)
- ◊ Amo–siervo (Romanos 6:18)

◊ Maestro–discípulo (Lucas 6:40)
◊ Padre–hijos (Mateo 7:7-12)
◊ Cabeza–cuerpo (1 Corintios 12:12-31; Colosenses 1:18)
◊ Vid–pámpanos (Juan 15:1-8)
◊ Rey–sujetos (1Timoteo 1:17;6:15; Apocalipsis 17:14)
◊ Oficial–soldados (2 Timoteo 2:3 y 4)

DOCTOR JORGE WASHINGTON CARVER

Las Escrituras enseñan que cada hijo de Dios recibe socorro y dirección del Espíritu Santo (Véase Romanos 8:1-17). Por consiguiente, tenemos un número sin fin de ejemplos para ilustrar su dirección en las vidas de los creyentes. El ya difunto doctor Jorge Washington Carver ha sido elegido porque su historia puede ser universalmente comprendida. Todos, ricos y pobres, pueden relacionarse con la manera maravillosa en que Dios lo guió. Las dificultades que él enfrentó y el éxito que logró, puedan inspirar confianza en cada hijo de Dios.

El doctor Carver nació en esclavitud cerca de Diamond, Misuri, EUA alrededor del año 1864. Tuvo muchos obstáculos que vencer. No solo nació en esclavitud, sino también fue secuestrado cuando era niño y separado de sus padres. También, estaba muy delicado de salud. De hecho, estaba tan enfermo que algunos pensaban que no iba a sobrevivir. Debido a que nació en esclavitud y que era negro, también tuvo que vencer las dos maldades de los prejuicios y la pobreza. Cuando era niño, entregó su corazón al Señor Jesús, pero no tuvo ninguna oportunidad de participar en la educación formal hasta que tenía casi 12 años. Decimos "casi 12 años" porque no tuvo una partida de nacimiento y nadie sabe exactamente cuándo nació.

Las "Buenas Nuevas" para el doctor Carver, también son "Buenas Nuevas" para nosotros. Igual como muchos quienes están leyendo estas palabras, él tuvo muchos obstáculos que vencer. La razón que podemos vencer estos obstáculos es porque mayor es el que está en nosotros, que él que está en el mundo (1 Juan 4:4). ¡Ésta es la clave! ¡Recuerde! Si el Señor Jesús está en su corazón, usted es un vencedor. Pablo lo dijo así: "Si Dios es por nosotros, ¿quién contra nosotros?" (Romanos 8:31). Mirando atrás a la larga vida del doctor Carver, podemos ver claramente que el Señor Jesús estaba con él durante cada paso de su vida. También, tenemos la promesa que el Señor Jesús no nos desamparará, ni nos dejará (Hebreos 13:5).

La educación desempeñó un papel importante en lo que el doctor Carver pudo llevar a cabo. Entonces cuando tuvo casi 12 años, su educación formal comenzó en una escuela para negros en Neosho, Misuri, unos 24 kilómetros de su casa. Recuerde que en una ocasión el Señor Jesús envió a sus discípulos sin dinero ni provisiones (Mateo 10:9 y 10). Dios cuidó al doctor Carver en la misma manera en que cuidó a los discípulos del Señor Jesús. Así que cuando este pequeño niño se sentó en un montón de leña al lado de la escuela, el Señor Jesús envió una pareja de cristianos que se llamaban Andrés y Mariah Watkins para cuidarle. Por su cariño y respeto hacia ellos, les llamaba "tío y tía". ¡Qué hermosa la provisión de Dios! David lo dijo así: **"Joven fui, y he envejecido, y no he visto justo desamparado, ni su descendencia que mendigue pan"** (Salmo 37:25).

Ahora el pequeño Jorge tenía un lugar donde vivir, y alimentos que comer, pero no tenía una Biblia. Dado que no tenía dinero para comprar una Biblia, el Señor Jesús guió a su tía Mariah Watkins para que le diera a él su Biblia. Es una grande y costosa Biblia, encuadernada con cuero y hasta hoy se ve su nombre de ella grabado en relieve en la cubierta. Esta Biblia está actualmente expuesta en un edifico del Monumento Nacional de Jorge Washington Carver, 5646 Carver Road, Diamond, MO 64840, EUA.

El doctor Carver leía la Biblia cada día. Él puso estas verdades eternas en su corazón. Aun creía que su estudio de la Biblia era la clave de su éxito como un científico. Por eso, llevó su Biblia a su laboratorio todos los días. Cuando alguien le preguntó sobre su éxito, fue pronto en dar la gloria a Dios y aun llamaba a su laboratorio "el pequeño taller de Dios".

El doctor Carver era uno de los más famosos científicos del mundo. Es conocido como "el padre de los sintéticos". Antes del doctor Carver, había sólo 3 reinos: animal, vegetal, y mineral. No obstante, el doctor Carver nos introdujo al cuarto reino, el reino de los sintéticos. La historia de este descubrimiento asombroso está relatada en un video que se puede ver en el Monumento Nacional en Diamond, Misuri. Se nos dice que el doctor Carver oraba para entender el universo, pero parece que el Señor le dijo que era demasiado complicado para que él lo entendiera. Entonces, oraba que Dios por lo menos le revelara el secreto del maní (cacahuate). Entonces el Señor procedió a hacer precisamente eso.

Comprender el secreto del maní era un pequeño paso para el hombre, pero un paso gigante para la humanidad. Descubrir el secreto del maní, abrió una puerta a las posibilidades ilimitadas de sintéticos. Dios también usó los descubrimientos del doctor Carver para ayudar a alimentar a mucha gente del mundo. Los agricultores del sur de los EUA habían sembrado el algodón por tanto tiempo que el suelo ya carecía de los nutritivos elementos necesarios para las plantas. No obstante, sembrando el maní reemplazó los minerales quitados del suelo por haber sembrado sólo el algodón por tantos años.

Al principio, el maní tenía poco valor comercial. Por eso, el doctor Carver entró en "el pequeño taller de Dios" para pedir su ayuda. Él estaba tan enfocado en ese proyecto que se quedó en su laboratorio durante las siguientes 48 horas. Sus estudiantes, preocupados por él, tocaron la puerta para confirmar que estaba bien. Él sí estaba bien. ¡Al final del encuentro de 48 horas con la Deidad, el doctor Carver había descubierto el secreto de los sintéticos!

Así como las letras del alfabeto pueden ser arregladas para escribir muchas palabras, el doctor Carver descubrió que los ingredientes que Dios había puesto en el maní, pueden ser colocados de otra manera para crear muchos productos sintéticos distintos. La lista llegaría a incluir algunos 300 productos distintos. La larga lista incluiría productos diversos como el jugo de la zarzamora y grasa para ejes, salsa de chile y combustibles para motores diesel, suero de la leche y gasolina. Muchos, si no todos, de los productos que usamos en nuestro mundo moderno son sintéticos. Aunque no todos estos productos son hechos del maní, aún fue el ordinario maní que usó Dios para ayudarle al doctor Carver con su descubrimiento tan importante.

Hoy en día, el maní es un cultivo muy valioso. El doctor Carver vivió hasta verlo sembrado en más de dos millones de hectáreas. Los agricultores no sólo ganaron dinero al vender su maní, también al mismo tiempo enriquecieron el suelo de sus cultivos.

En enero del año 1921, el doctor Carver fue llamado a Washington, D.C. para dar un discurso delante de un comité del gobierno estadounidense. Al principio fue dado sólo 10 minutos para hablar, pero el comité le escuchó con sumo interés por unas dos horas. Después de saber de tan grande variedad de productos sintéticos, se le preguntó de dónde consiguió tanta sabiduría. Les dijo que lo aprendió de un libro. Un diputado le preguntó: "¿Qué libro?" El doctor Carver le contestó: "La Santa Biblia".

LA GRAN INVITACIÓN

Dios quiere ayudarle, ¡pero tendrá que ir al Señor Jesús para recibir está ayuda! Por favor, considere esta invitación maravillosa del Señor Jesús.

> **Venid a mí todos los que estáis trabajados y cargados, y yo os haré descansar. Llevad mi yugo sobre vosotros, y aprended de mí, que soy manso y humilde de corazón; y hallaréis descanso para vuestras almas; porque mi yugo es fácil, y ligera mi carga (Mateo 11:28-30).**

Si está trabajado y cargado, ¡esta promesa es para usted! El Señor Jesús conoce su nombre y entiende todos los problemas que tendría que enfrentar. Aun sus cabellos están todos contados (Mateo 10:30). El Señor Jesús fue tentado en las mismas maneras que usted está siendo tentado. Por eso, usted puede acercarse al trono de la gracia para alcanzar misericordia y hallar gracia para el oportuno socorro (Hebreos 4:15 y 16).

Por supuesto, un yugo es para trabajar. Cuando usted tome el yugo que el Señor Jesús le da, estará trabajando duramente, pero a la vez, tendrá descanso para su alma. Además, él ha prometido que usted nunca será tentado más de lo que pueda resistir (1 Corintios 10:13). Podemos estar seguros que el que comenzó en nosotros la buena obra, la perfeccionará hasta el día de Jesucristo (Filipenses 1:6). Cuando su trabajo en la tierra esté terminado, el Señor Jesús ha prometido darle una herencia eterna (Hebreos 9:15; 2 Timoteo 4:8).

Por esta causa doblo mis rodillas ante el Padre de nuestro Señor Jesucristo, de quien toma nombre toda familia en los cielos y en la tierra, para que os dé, conforme a las riquezas de su gloria, el ser fortalecidos con poder en el hombre interior por su Espíritu; para que habite Cristo por la fe en vuestros corazones, a fin de que, arraigados y cimentados en amor, seáis plenamente capaces de comprender con todos los santos cual sea la anchura, la longitud, la profundidad y la altura, y de conocer el amor de Cristo, que excede a todo conocimiento, para que seáis llenos de toda la plenitud de Dios. Y a Aquel que es poderoso para hacer todas las cosas mucho más abundantemente de lo que pedimos o entendemos, según el poder que actúa en nosotros, a él sea gloria en la iglesia en Cristo Jesús por todas las edades, por los siglos de los siglos. Amén (Efesios 3:14-21).

ALGO QUE TENEMOS QUE CREER

Pero sin fe es imposible agradar a Dios; porque es necesario que el que se acerca a Dios crea que le ahi, y que es galardonador de los que le buscan (Hebreos 11:6).

¡Esto no es opcional! ¡*Tenemos que creer* que Dios existe! ¡Esto no es opcional! ¡*Tenemos que creer* que Dios recompensa a los que sinceramente le buscan!

Como predicadores del evangelio, evidentemente ustedes creen que Dios existe. Sólo un necio diría que no hay Dios (Salmo 14:1). Sin embargo, hay que recordar que Dios recompensa a los que sinceramente le buscan. Como ya hemos dicho, esto no es opcional. *Tenemos que creer* que Dios nos recompensa por ser diligentes. Dios es un Dios celoso y el mandamiento más grande de la Biblia dice que tenemos que amarle con todo nuestro corazón, con toda nuestra alma y con toda nuestra mente (Mateo 22:37). Este concepto que Dios recompensa a los diligentes y castiga a los perezosos no es nada nuevo. Es una parte integral de toda la Escritura. Es muy claro. Somos salvos por nuestra fe, pero recompensados por nuestras obras. ¡Recuerde! Cuando comparezcamos ante el gran trono blanco en el Juicio, los libros serán abiertos y seremos juzgados según nuestras obras (Apocalipsis 20:12).

LOS GALARDONES SEGÚN EL SEÑOR

Es importante saber lo que el Señor Jesús enseñó acerca de los galardones porque él será nuestro juez. ¡Recuerde! El Padre a nadie juzga, sino que todo el juicio dio al Hijo (Juan 5:22). En el día postrero no solamente seremos juzgados por el Señor

Jesús, sino seremos juzgados por las palabras que el Señor Jesús ha hablado (Juan 12:48). ¡Todos nosotros deberíamos recordar las palabras que el Señor Jesús ha hablado!

Por favor, considere:

- El Señor Jesús dijo que los que son perseguidos por ser piadosos recibirán un galardón grande en el cielo (Mateo 5:11 y 12). Si sufrimos con él, también reinaremos con él (2 Timoteo 2:12).
- El Señor Jesús dijo que los que hacen justicia delante de los hombres para ser vistos de ellos, no tendrán recompensa de Dios. Sin embargo, Dios recompensará a los que dan en secreto (Mateo 6:1-4).
- El Señor Jesús dijo que los que oran para ser vistos de los hombres ya tienen su recompensa. Sin embargo, los que oran a Dios en secreto recibirán recompensa de él en público (Mateo 6:5-15).
- El Señor Jesús dijo que los que ayunan para ser vistos de los hombres ya han obtenido toda su recompensa. Sin embargo, los que ayunan en secreto para complacer a Dios tendrán una recompensa eterna (Mateo 6:16-18).
- El Señor Jesús nos alentó a hacer tesoros en el cielo donde ni la polilla ni el óxido corrompen y donde los ladrones no minan ni hurtan (Mateo 6:19-21).
- El Señor Jesús dijo que el que recibe a un profeta, recompensa de profeta recibirá y el que recibe a un hombre justo, recompensa de justo recibirá. Además, Jesús dijo que el que da un vaso de agua fría a uno de sus discípulos, no perderá su recompensa (Mateo 10:40-42).
- El Señor Jesús relató la parábola de las diez vírgenes. Cinco de ellas eran prudentes y recibieron recompensa. Las cinco vírgenes insensatas fueron rechazadas (Mateo 25:1-13).
- El Señor Jesús relató la parábola de los talentos. El hombre que recibió 5 talentos ganó otros 5 talentos más y recibió recompensa por su diligencia. El hombre que recibió 2 talentos ganó 2 talentos más y recibió recompensa por su diligencia. El hombre que recibió sólo 1 talento lo escondió en la tierra y fue rechazado por ser perezoso y negligente (Mateo 25:14-30).

- También, el Señor Jesús relató la parábola de las diez minas. Un hombre noble se fue a un país lejano. Llamó a 10 de sus siervos y le dio a cada uno una mina. Cuando el hombre noble llegó a ser el rey, regresó para averiguar qué habían hecho sus siervos con su dinero. El primero había sido diligente y ganó 10 minas. Él recibió como recompensa autoridad sobre 10 ciudades. El segundo había ganado 5 minas y su recompensa fue autoridad sobre 5 ciudades. El tercero no hizo nada con el dinero de su señor y fue rechazado (Lucas 19:11-27).

Hay otras Escrituras que enseñan esta misma verdad, pero las de arriba deberían ser suficientes para convencernos que seamos diligentes si esperamos recibir una recompensa.

Recuerde que Pedro en una oportunidad quería construir tres enramadas: una para el Señor Jesús, otra para Moisés, y otra para Elías. Dios lo interrumpió desde el cielo y le dijo a Pedro: **"Este es mi Hijo amado, en quien tengo complacencia; a él oíd"** (Mateo 7:5). ¡Nunca nos irá mal cuando hacemos caso al Señor Jesús!

¿QUIÉN RECIBIRÁ RECOMPENSA?

Aunque este estudio se enfoca en la obra de evangelistas, pastores, y maestros, es importante recordar que todos son importantes al Señor Jesús. Nadie era demasiado pecaminoso, pobre, enfermo, o antipático para que el Señor Jesús no lo amara. Cuando el Señor Jesús lo añadió a su cuerpo, tenía un propósito. En la misma manera en que todo miembro del cuerpo humano tiene un propósito, todo miembro del cuerpo de Cristo (la iglesia) también tiene un propósito. Desde luego, todo miembro del cuerpo de Cristo es importante, porque cuando un miembro deja de funcionar, el cuerpo está impedido. El cuerpo de Cristo tiene más miembros que solamente evangelistas, pastores, y maestros, y cada miembro necesita ser diligente. El Apóstol Pablo escribió a los corintios sobre este tema. Por favor, lea cuidadosamente 1 Corintios 12:12-31. En este pasaje se nos dice que:

- Igual que el cuerpo humano que tiene muchos miembros, el cuerpo de Cristo también se compone de muchos miembros (v.12).

- A fin de cuentas, hay un sólo cuerpo. Sin tomar en cuenta nuestra nacionalidad, somos todos bautizados por un solo Espíritu en un solo cuerpo. En el cuerpo de Cristo, nuestra identidad nacional pasa a ser de importancia secundaria y llegamos a ser un solo cuerpo en Cristo(v.13).
- Como el cuerpo humano que necesita pies, manos, orejas, y ojos, el cuerpo de Cristo también necesita una variedad de miembros para que funcione eficazmente (vv. 15-17).
- Es Dios que ha colocado cada miembro en el cuerpo como él quiso (v.18).
- Cada miembro es esencial. Cuando al cuerpo humano le falta una mano o un pie, es minusválido; también así es el cuerpo de Cristo cuando un miembro deja de funcionar (vv. 20,21).
- Como tratamos con honor especial a los miembros de nuestro cuerpo que nos parecen menos honrosos, así Dios también ha dispuesto aun mayor honra a los miembros de su cuerpo que les hace falta (vv.20-24).
- No importa cual sea el don espiritu al que Dios le hadado, el amor es más importante (vea 1 Corintios 13).

Sea cual sea nuestro don espiritual, Dios espera que seamos diligentes en el uso de ese don. ¡Recuerde! Somos administradores de lo que Dios nos ha dado y se requiere de los administradores que cada uno sea hallado fiel (1 Corintios 4:2).

¡Recuerde también que *tenemos que creer* que Dios nos recompensará por ser diligentes! No importa cual don espiritual Dios nos haya dado, este principio es verdadero.

ANTES DE SU NACIMIENTO

¡Recuerde! La esencia del evangelio es que el Señor Jesús nació, murió y resucitó **"conforme a las Escrituras"** (ver 1 Corintios 15:2-4). Todo aspecto de la vida del Señor Jesús fue profetizado en las Escrituras antes de su nacimiento.

Porque el Señor Jesús tenía una misión divina que cumplir, Dios lo protegió hasta que fuera cumplida.

- Los fariseos tramaban cómo matar al Señor Jesús (Mateo 12:14).
- Los de Nazaret también tramaban matarle (Lucas 4:29).

- Más tarde, los judíos redoblaron sus esfuerzos para matarle (Juan 5:18).
- Después de que Lázaro fue levantado de los muertos, los judíos estaban tan desesperados que querían matar a los dos: a Lázaro y al Señor Jesús (Juan 11:45-53;12:10).

Sin embargo, el Señor Jesús fue protegido de la muerte durante esos días tan difíciles porque "su hora no había llegado". Se encuentra esta frase varias veces en las Escrituras.

- **"Aún no ha venido mi hora"** (Juan 2:4).
- **"Mi tiempo aún no ha llegado"** (Juan 7:6).
- **"Ninguno le echó mano, porque aún no había llegado su hora"** (Juan 7:30).
- **"Nadie le prendió, porque aún no había llegado su hora"** (Juan 8:20).
- Finalmente, el Señor Jesús dijo, **"La hora ha llegado"** (Juan 17:1).
- Nadie quitó la vida del Señor Jesús, sino él mismo la puso (Juan 10:18).
- Sin embargo, nótese que antes de poner su vida, el Señor Jesús cumplió todo lo que Dios le había llamado a hacer. Las últimas palabras del Señor Jesús en esta tierra eran: **"Consumado es"**(Juan 19:30).

ANTES DE SUS NACIMIENTOS

David – David escribió que todos los días ordenados para él fueron escritos en el libro de Dios antes de que existieran (Salmo 139:16). Entre muchas otras cosas, Dios ordenó que David sería el rey de Israel (1 Samuel 16:1-13). Dios también ordenó que uno de los descendientes de David siempre estuviera en el trono de Israel (1 Reyes 2:4; 8:25; 9:5; 2 Crónicas 6:16; 7:18; etc.) David era guerrero e hizo muchas cosas peligrosas, pero Dios lo protegió hasta que su misión fuera cumplida.

Sansón – Sansón fue apartado desde su nacimiento para comenzar a salvar a Israel de mano de los filisteos (Jueces 13:5). Sansón peleó muchas batallas, pero Dios lo protegió de la muerte hasta que su misión fuera cumplida. Aun la muerte de Sansón fue una victoria, porque en ese momento, mató a más filisteos de los que había matado durante su vida (Jueces 16:30).

Isaías – Isaías fue llamado por Dios antes de su nacimiento (Isaías 49:1) y fue formado en el vientre de su madre para ser un siervo de Dios (Isaías 49:5). Las Escrituras nos dicen que Isaías tuvo un largo ministerio y sirvió durante los reinos de Uzías, Jotam, Acaz y Ezequías (Isaías 1:1). Isaías hizo tantas profecías acerca del Señor Jesús que es llamado "el profeta del Evangelio". Sin embargo, cuando ya fue cumplida su misión, Dios permitió que muriera como un mártir durante el reino de Manases.

Jeremías – Jeremías fue también santificado por Dios para ser profeta a las naciones antes de que fuera formado en el vientre de su madre (Jeremías 1:5). Comenzó su ministerio profético en el año trece del reino de Josías y siguió hasta el quinto mes y el undécimo año de Sedequías (Jeremías 1:1-3). También Dios usó a Jeremías en gran manera y lo protegió hasta que cumpliera su misión. Estamos especialmente endeudados con Jeremías por sus profecías con respecto al nuevo pacto (Jeremías 31:31-34).

Ciro – Ciro, el rey de Persia, era el único gentil llamado "ungido de Dios" (Isaías 45:1). Generaciones antes de su nacimiento, Isaías predijo que Ciro dispondría que Jerusalén fuera reconstruida y que se repusieran los cimientos del templo judío (Isaías 44:28), aunque en ese tiempo, ni Jerusalén ni el templo habían sido destruidos. El diablo en muchas maneras trató de matar a Ciro, pero Dios lo protegió hasta que fuera cumplida su misión.

Pedro – El Señor Jesús dijo a Pedro: "**De cierto, de cierto, te digo: Cuando eras más joven, te ceñías, e ibas a donde querías; mas cuando ya seas viejo, extenderás tus manos, y te ceñirá otro, y te llevará a donde no quieras. Esto dijo, dando a entender con qué muerte había de glorificar a Dios**" (Juan 21:18 y 19). Nótese que el Señor Jesús había determinado la manera en que Pedro moriría con más de 30 años de anticipación. Cuando el rey Herodes trató de matar a Pedro, Dios envió a un ángel para salvarle, porque aún no era su tiempo de morir (Hechos 12:6-17). También, Dios puede enviar a ángeles para salvar a nosotros hasta que nuestra misión terrenal sea cumplida (Hebreos 1:14).

Pablo – Pablo fue apartado desde su nacimiento para ser apóstol a los gentiles. **"Pero cuando agradó a Dios, que me apartó desde el vientre de mi madre, y me llamó por su gracia, revelar a su Hijo en mí, para que yo le predicase entre los gentiles ..."** (Gálatas 1:15 y 16). Por lo visto, Dios protegió a Pablo durante sus años tempranos y formativos. Aun Dios lo protegió durante los años cuando estaba persiguiendo a los cristianos. Dios protegió su vida hasta que su misión divina fuera cumplida. Sin embargo, al final Pablo acabó la carrera. Poco antes de su ejecución escribió:

> **Porque yo ya estoy para ser sacrificado, y el tiempo de mi partida está cercano. He peleado la buena batalla, he acabado la carrera, he guardado la fe. Por lo demás, me está guardada la corona de justicia, la cual me dará el Señor, juez justo, en aquel día; y no solo a mí, sino también a todos los que aman su venida (2 Timoteo 4:6-8).**

¿ANTES DELNACIMIENTO DE USTED TAMBIÉN?

Sabemos que el ministerio del Señor Jesús fue planeado antes de su nacimiento en la tierra. Además, sabemos que muchos otros también tenían ministerios planeados por Dios antes de su nacimiento.

¡Por favor, considere que el ministerio de usted también fue planeado por Dios antes de su nacimiento!

¿No es esto un pensamiento emocionante? Si Dios tiene planes para nosotros antes de nuestro nacimiento, desde luego nos protegerá hasta que nuestra misión sea terminada. Por eso Pablo escribió a Timoteo:

> **Porque no nos ha dado Dios espíritu de cobardía, sino de poder, de amor y de dominio propio. Por tanto, no te avergüences de dar testimonio de nuestro Señor, ni de mí, preso suyo, sino participa de las aflicciones por el**

evangelio según el poder de Dios, quien nos salvó y llamó con llamamiento santo, no conforme a nuestras obras, sino según el propósito suyo, y la gracia que nos fue dada en Cristo Jesús antes de los tiempos de los siglos . . . (2 Timoteo 1:7-9).

NUESTRO SEÑOR ERA DILIGENTE . . . ¿Y NOSOTROS?

Nadie trabajaba más diligentemente que el Señor Jesús. Nadie era más obediente que el Señor Jesús. Nadie recibirá un galardón más grande que el Señor Jesús. Por eso, debemos seguir el ejemplo del Señor Jesús.

¡Considere, por favor, que el Señor Jesús es un ejemplo perfecto en todos los aspectos!

Haya, pues, en vosotros este sentir que hubo también en Cristo Jesús (Filipenses 2:5).

Porque ejemplo os he dado, para que como yo os he hecho, vosotros también hagáis (Juan 13:15).

El que dice que permanece en él, debe andar como él anduvo (1 Juan 2:6).

Porque esto merece aprobación, si alguno a causa de la conciencia delante de Dios, sufre molestias padeciendo injustamente. Pues ¿qué gloria es, si pecando sois abofeteados, y lo soportáis? Mas si haciendo lo bueno sufrís, y lo soportáis, esto ciertamente es aprobado delante de Dios. Pues para esto fuisteis llamados; porque también Cristo padeció por nosotros, dejándonos ejemplo, para que sigáis sus pisadas; . . . (1 Pedro 2:19-21).

El Señor Jesús trabajó diligentemente y fue galardonado. Cuando trabajemos diligentemente, seremos galardonados. ¡Esto es algo que *tenemos que creer!*

UN DON A CADA CREYENTE

> **Ahora bien, se requiere de los administradores, que cada uno sea hallado fiel (1 Corintios 4:2).**

A cada creyente ha sido dada una comisión, o don espiritual (Romanos 12:3). Los dones distintos en el cuerpo de Cristo son como los miembros distintos de nuestros cuerpos humanos. Así como cada miembro del cuerpo humano tiene un propósito, cada miembro del cuerpo de Cristo también tiene un propósito. Pablo usa esta misma ilustración para explicar el propósito de los dones espirituales a los corintios (1 Corintios 12). Pedro también sabía que a cada creyente ha sido dado un don y escribió: **"Cada uno según el don que ha recibido, minístrelo a los otros, como buenos administradores de la multiforme gracia de Dios"** (1Pedro 4:10).

Por supuesto, Dios espera que seamos fieles en el uso del don que él nos ha dado. Si Dios nos da un talento, él espera que lo usemos y que no lo enterremos.

Mientras hay otros dones espirituales, nos fijaremos en los siete mencionados en Romanos 12:6-8 para ilustrar la necesidad de que seamos fieles. He aquí el pasaje:

> **De manera que, teniendo diferentes dones, según la gracia que nos es dada, si el de profecía, úsese conforme a la medida de la fe; o si de servicio en servir; o el que enseña, en la enseñanza, el que exhorta, en la exhortación; el que reparte, con liberalidad; el que preside, con solicitud; el que hace misericordia, con alegría (Romanos 12:6-8).**

Consideremos estos siete dones espirituales uno por uno.

1. Profeta – El profeta es uno que habla por otro. Por ejemplo, Aarón era profeta por Moisés (Éxodo 7:1). Moisés le dijo a Aarón

lo que quería decir y Aarón habló al faraón por Moisés. Un profeta de Dios es uno quien habla por Dios. A veces, esto involucra el profetizar el futuro, pero generalmente involucra reprochar a la gente por sus pecados. Juan el Bautista era el profeta más grande de todos los tiempos y su mensaje principal tuvo que ver con el arrepentimiento. También es interesante recordar que Juan el Bautista nunca hizo una señal milagrosa (Juan 10:41). Si Dios le ha dado el don de profecía, úselo diligentemente según la medida de su fe.

2. Servidor – El Señor Jesús dio un nuevo significado al ministerio de servir. En el mundo, personas de importancia se sientan a la mesa y las personas menos importantes les sirven. Sin embargo, el Señor vino para servir (Lucas 22:24-27). La palabra griega que se traduce "servidor" es *diakonian* de la cual viene nuestra palabra "diácono". Si Dios le ha dado el don de servir, entonces use ese don diligentemente.

3. Maestro – Todos los creyentes debemos enseñarnos y exhortarnos los unos a los otros (Colosenses 3:16), pero algunos reciben de Dios un don especial. Así como un freno para guiar al caballo, y el timón para guiar a las naves, también un maestro puede guiar e influenciar a muchas personas (Santiago 3:1-5). Así como el capitán de la nave es responsable por sus pasajeros, también el maestro es responsable por sus estudiantes. Si Dios le ha dado este don de enseñar, por favor, sea diligente en usarlo.

4. Alentador – Uno de los pecados más peligrosos es el desaliento. La razón porqué es tan peligroso es que parece tan inocuo. El hombre que no es asesino, ni ladrón, ni adúltero, podría fácilmente caer por el desaliento. Así que es cuando estamos más desalentados que hacemos cosas más impías. Por eso, Dios ha dado a algunos creyentes este don. Si Dios le ha dado este don, por favor, sea diligente en usarlo.

5. Contribuyente – Todos los creyentes podemos contribuir algo, pero algunos tienen un don especial de Dios para contribuir.

Por ejemplo, alguna persona era dueño de un aposento alto y permitió que la iglesia primitiva lo usara para reunirse (Hechos 1:12-16). El lugar fue suficientemente amplio para acomodar a 120 personas. Otro ejemplo de este don espiritual se ve en un levita de Chipre que se llamaba José. Cuando los apóstoles tenían una necesidad, él vendió una herencia y les trajo a ellos el dinero. Los apóstoles estaban tan conmovidos que le pusieron a él el sobrenombre de "Bernabé" que traducido es "hijo de consolación" (Hechos 4:36). Si Dios le ha dado una abundancia, úsela generosamente para su gloria.

6. Líder – Todos tenemos influencia sobre otros. Ningún hombre vive para sí y ninguno muere para sí (Romanos 14:7). Sin embargo, algunos han recibido de Dios una habilidad especial para influenciar a otros. Por ejemplo, Pablo recibió el don de líder; por eso los judíos lo consideraban como promotor de la sedición entre los judíos por el mundo entero y cabecilla de la secta de los nazarenos (Hechos 24:5). Afortunadamente, Pablo usaba su don de líder para avanzar la causa de Cristo. Si Dios le ha dado este don, tendrá que presidir diligentemente.

7. Misericordioso – Todos debemos ser misericordiosos. El Señor Jesús dijo: "**Bienaventurados los misericordiosos, porque ellos alcanzarán misericordia** (Mateo 5:7). Sin embargo, algunos han recibido de Dios un don de misericordia especial. Por supuesto, el Señor Jesús es un ejemplo perfecto de todos los dones espirituales. Isaías profetizó siglos antes del nacimiento del Señor Jesús que él no quebraría la caña cascada ni apagaría el pábilo que humeaba (Isaías 42:1-4: Mateo 12:18-21). La caña abunda tanto que si uno se quiebra, la mayoría de la gente la desecharía y conseguiría otra. Cuando se termina el aceite de una lámpara y el pábilo está humeando, la mayoría de la gente la apagaría con los dedos húmedos. Sin embargo, el Señor Jesús era tan misericordioso que cuando encontró a gente que se consideraba sin valor, la ayudó a ser fuerte y dejar brillar su luz. Si Dios le ha dado el don de misericordia, úselo con alegría.

Supongamos que siete personas están sentadas alrededor de una mesa y que cada una tiene un don espiritual distinto. De repente, se derrama un vaso de leche. Para el profeta, lo más importante es contar la verdad sobre lo que ha sucedido. Él señala el costo de la leche y la molestia en hacer la limpieza y conseguir más leche. El servidor siente que lo más importante es no hablar del problema, sino actuar para resolverlo. Por consiguiente, será guiado por Dios para hacer la limpieza. El maestro tiene otro punto de vista. Él está analizando el por qué se derramó la leche y para él, la cosa más importante es enseñar el cuidado correcto del vaso de leche para que tal accidente no suceda otra vez. El alentador también tiene otra perspectiva. Para él, lo más importante es evitar que la situación cause que alguien salga de la mesa. El contribuyente se siente que lo más importante es que la persona que hizo derramar la leche tenga algo que tomar. Por eso, ofrecerá su propia leche a la persona que ya no la tiene. El líder considera que lo más importante es la organización. Él verá que alguien limpie la mesa y que alguien traiga más leche y que otra persona ponga el vaso de leche en su propio lugar para que este accidente no suceda de nuevo. El hombre misericordioso pone sus brazos alrededor de la persona que causó la desgracia y le hace recordar el perdón de Dios.

La palabra griega traducida "dones" en Romanos 12:6 es ***karismata***. De esta palabra viene la palabra "carismático". Lo que quiere decir esta palabra está claramente explicado por la manera en que Pablo la usó en Romanos 6:23. **"Porque la paga del pecado es muerte, mas la dádiva (don) de Dios es vida eterna en Cristo Jesús Señor nuestro."** Se gana la "paga" pero no una "dádiva". Así como Dios libremente nos ha dado la dádiva de la salvación, también libremente nos ha dado la dádiva de ser útil y productivo en su obra aquí en la tierra. Que seamos diligentes en el uso de nuestro don porque se requiere de los administradores que cada uno sea hallado fiel.

LA VIDA, UNA CARRERA

Por tanto, nosotros también, teniendo en derredor nuestro tan grande nube de testigos, despojémonos de todo peso y del pecado que nos asedia, y corramos con paciencia la carrera que tenemos por delante, puestos los ojos en Jesús, el autor y consumador de la fe, el cual por el gozo puesto delante de él sufrió la cruz, menospreciando el oprobio, y se sentó a la diestra del trono de Dios. Considerad a aquel que sufrió tal contradicción de pecadores contra sí mismo, para que vuestro ánimo no se canse hasta desmayar (Hebreos 12:1-3).

¿No sabéis que los que corren en el estadio, todos a la verdad corren, pero uno solo se lleva el premio? Corred de tal manera que lo obtengáis. Todo aquel que lucha, de todo se abstiene; ellos, a la verdad, para recibir una corona corruptible, pero nosotros, una incorruptible. Así que, yo de esta manera corro, no como a la ventura; de esta manera peleo, no como quien golpea el aire, sino que golpeo mi cuerpo, y lo pongo en servidumbre, no sea que habiendo sido heraldo para otros, yo mismo venga a ser eliminado. Porque no quiero, hermanos, que ignoréis que nuestros padres todos estuvieron bajo la nube, y todos pasaron el mar (1 Corintios 9:24 – 10:1).

. . . pero una cosa hago: olvidando ciertamente lo que queda atrás, y extendiéndome a lo que está delante, prosigo a la meta, al premio del supremo llamamiento de Dios en Cristo Jesús (Filipenses 3:13 y 14).

Vosotros corríais bien; ¿quién os estorbó para no obedecer a la verdad? (Gálatas 5:7).

. . . Ejercítate para la piedad; porque el ejercicio corporal para poco es provechoso,

pero la piedad para todo aprovecha, pues tiene promesa de esta vida presente, y de la venidera (1 Timoteo 4:7-8).

Participar en una carrera es tan común que no se necesita mucho comentario. Los participantes serios entrenan por meses antes de competir. A veces, en el día de la carrera hay muchos espectadores. El hecho de que la carrera tiene espectadores es algo que anima a cada corredor a que haga lo mejor posible. Los corredores quitan sus chaquetas y ponen a un lado cualquier cosa que los impida dar su mejor esfuerzo. ¡Recuerde! Los que comienzan la carrera no reciben el premio sino los que la terminan. Por eso, es importante ser fiel hasta la muerte para recibir la corona de la vida (Apocalipsis 2:10).

¿BENDICIÓN EN EL SUFRIR?

Cuando el Señor Jesús les dijo a los apóstoles que tenía que ir a Jerusalén y padecer mucho, Pedro lo reprendió (Mateo 16:22). ¿No es esto interesante? Pedro pensaba que era más sabio que el Señor Jesús, aunque sabía que el Señor Jesús siempre tenía la razón. Aun cuando no entendamos, debemos confiar en él y obedecerle. Aunque el Señor Jesús es el Hijo de Dios, él aun aprendió la obediencia por lo que padeció (Hebreos 5:8).

Así que cuando Pedro no entendió el propósito de su sufrimiento, el Señor Jesús le dijo: **"¡Quítate de delante de mí, Satanás! Me eres tropiezo, porque no pones la mira en las cosas de Dios, sino en las de los hombres" (Mateo 16:23).** El sufrir era una parte importante del ministerio del Señor Jesús y también podría ser una parte importante del plan de Dios para nuestra vida.

Pedro se arrepintió de su actitud equivocada en cuanto al sufrimiento. Nótese qué enseñó acerca del sufrir en 1 Pedro:

- Podemos alegrarnos en nuestra aflicción (1 Pedro1:6).
- Somos elogiados cuando sufrimos haciendo lo bueno (1 Pedro 2:20).
- Fuimos llamados para sufrir y Cristo es nuestro ejemplo (1 Pedro 2:21).
- Es mejor sufrir haciendo el bien que haciendo el mal (1 Pedro 3:17).

- El sufrir en la carne nos ayuda a vencer al pecado (1 Pedro 4:1).
- No debe sorprendernos el sufrir (1 Pedro 4:12).
- Al sufrir, podemos ser participantes en los padecimientos de Cristo (1 Pedro 4:13).
- No debemos avergonzarnos al sufrir por ser cristianos (1 Pedro 4:16).
- **"De modo que los que padecen según la voluntad de Dios, encomienden sus almas al fiel Creador, y hagan el bien"** (1 Pedro 4:19).

Pablo fue también llamado a sufrir:

- En el camino a Damasco, el Señor Jesús le dijo a Pablo cuánto tendría que sufrir (Hechos 9:16).
- Pablo escribió a los corintios:

> **Hasta esta hora padecemos hambre, tenemos sed, estamos desnudos, somos abofeteados, y no tenemos morada fija. Nos fatigamos trabajando con nuestras propias manos; nos maldicen, y bendecimos; padecemos persecución, y la soportamos. Nos difaman, y rogamos; hemos venido a ser hasta ahora como la escoria del mundo, el deshecho de todos (1 Corintios 4:11-13).**

- Cuando Pablo se comparaba a los apóstoles falsos, hizo una lista de algunos de sus sufrimientos:

> **. . . en trabajos más abundante; en azotes sin número; en cárceles más; en peligros de muerte muchas veces. De los judíos cinco veces he recibido cuarenta azotes menos uno. Tres veces he sido azotado con varas; una vez apedreado; tres veces he padecido naufragio; una noche y un día he estado como náufrago en alta mar; en caminos muchas veces; en peligros de ríos, peligros de ladrones, peligros de los de mi nación, peligros de los gentiles, peligros en la ciudad, peligros en el desierto, peligros en el mar, peligros entre falsos hermanos; en trabajo y fatiga, en muchos**

desvelos, en hambre y sed, en muchos ayunos, en frío y en desnudez; y además de otras cosas, lo que sobre mí se agolpa cada día, la preocupación por todas las iglesias (2 Corintios 11:23-28).

- En particular, Pablo tenía un "aguijón" en la carne. Rogó al Señor tres veces que se lo quitara, pero el Señor respondió: **"Bástate mi gracia; porque mi poder se perfecciona en la debilidad"** (2 Corintios 12:9). Dándose cuenta de esto, Pablo llegó a gloriarse en sus debilidades, afrentas, necesidades, persecuciones y angustias (2 Corintios 12:10).
- Pablo escribió: **"Ahora me gozo en lo que padezco por vosotros, y cumplo en mi carne lo que falta de las aflicciones de Cristo por su cuerpo, que es la iglesia" (Colosenses 1:24 y 25).**

Si somos creyentes, podemos gozarnos en el sufrimiento:

- Podemos gloriarnos en las tribulaciones porque las tribulaciones producen perseverancia, y la perseverancia produce carácter, y el carácter produce esperanza, y esperanza no avergüenza, porque el amor de Dios ha sido derramado en nuestros corazones por el Espíritu Santo (ver Romanos 5:3-5).

Amados, no os sorprendáis del fuego de prueba que os ha sobrevenido, como si alguna cosa extraña os aconteciese, sino gozaos por cuanto sois participantes de los padecimientos de Cristo, para que también en la revelación de su gloria os gocéis con gran alegría (1 Pedro 4:12 y 13).

- Cuando somos perseguidos, podemos gozarnos y alegrarnos (Lucas 6:23).

AYUDA EN TENTACIÓN

No os ha sobrevenido ninguna tentación que no sea humana; pero fiel es Dios, que no os dejará ser tentados más de lo que podéis

resistir, sino que dará también juntamente con la tentación la salida, para que podáis soportar (1 Corintios 10:13).

Pablo, quien escribió estas palabras inspiradas, sabía que eran verídicas porque él había experimentado la tentación en su propia vida. Una vez Pablo estaba tan desanimado que aun perdió la esperanza de conservar su vida (2 Corintios 1:8). Sin embargo, Dios lo liberó de ese peligro de muerte y Pablo confiaba que Dios le seguiría protegiendo. Dios es soberano y todo poderoso y tenemos su promesa que nunca seremos tentados más allá de lo que podamos soportar. Dios hace disponible todos los recursos del cielo y de la tierra para que esta promesa se cumpla. **" . . . todo es vuestro: sea Pablo, sea Apolos, sea Cefas, sea el mundo, sea la vida, sea la muerte, sea lo presente, sea lo por venir, todo es vuestro, y vosotros de Cristo y Cristo de Dios"** (1 Corintios 3:21-23).

A veces, Dios usa a los **seres humanos** para ayudarnos. Pablo fue salvado de la muerte en Damasco porque algunos de los hermanos lo bajaron del muro en un canasto (2 Corintios 11:33). Bernabé lo ayudó en Jerusalén (Hechos 9:27). Lidia lo ayudó en Filipos (Hechos 16:15). Jasón lo ayudó en Tesalónica (Hechos 17:7). Aquila y Priscila lo ayudaron en Corinto (Hechos 18:3). Cuando nosotros estemos tentados, Dios puede enviar ayuda humana para ayudarnos a no ser tentados más de lo que podamos resistir.

A veces, Dios nos ayuda por medio de **visiones**. Dios guió a Pablo al encuentro con Ananías por medio de una visión (Hechos 9:12). Dios mostró a Pablo que debía ser apóstol a los gentiles por medio de una visión (Hechos 26:19). Dios dirigió a Pedro al encuentro con Cornelio por medio de una visión (Hechos 10: 9-20). Dios dirigió a Pablo a Macedonia por medio de una visión (Hechos 16:9). Dios dio a Pablo confianza en Corinto por medio de una visión (Hechos 18:9). El aguijón en la carne que sufría Pablo, le fue explicado por medio de una visión (2 Corintios 12:1-10). El Evangelio de Cristo está relacionado con jóvenes viendo visiones (Hechos 2:17). También, Dios puede darnos visiones para que cuando llegue la tentación, haya también una salida a fin de que podamos resistir.

A veces, Dios envía **ángeles** para ayudarnos. Como ya sabe, los ángeles son espíritus ministradores para servir a los que son herederos de la salvación (Hebreos 1:14). Los ángeles ministraban al Señor Jesús en el desierto y en Getsemaní (Marcos 1:13 y Lucas 22:43). Un ángel sacó a los apóstoles de la cárcel (Hechos 5:19). Un ángel dirigió a Felipe al encuentro con el eunuco etíope (Hechos 8:26). Un ángel dirigió a Cornelio a que llamara a Pedro (Hechos 10:1-8). Un ángel libró a Pedro de la cárcel y de la muerte (Hechos 12:6-11). Un ángel animó a Pablo antes de un naufragio (Hechos 27:23). Dios puede enviar ángeles para que cuando llegue la tentación, haya también una salida a fin de que podamos resistir.

A veces, el **Señor mismo** viene a ayudarnos en tiempos de necesidad. ¡Dios es fiel! No permitirá que seamos tentados más allá de lo que podamos resistir. Cuando lo necesitamos, él es nuestro pronto auxilio (Salmo 46:1). Nunca nos desamparará ni dejará (Hebreos 13:5). Cuando Esteban estaba muriendo, Dios abrió el cielo y Esteban vio al Señor Jesús que estaba a la diestra de Dios (Hechos 7:55 y 56). En Corinto, el Señor habló a Pablo en una visión (Hechos 18:9). Cuando Pablo estaba en la cárcel, el Señor se presentó y lo animó (Hechos 23:11). Cuando nos apropiamos de la promesa de Dios: **" . . . podemos decir confiadamente: El Señor es mi ayudador; no temeré lo que me pueda hacer el hombre"** (Hebreos 13:6).

No hay porqué abandonar nuestra misión. Todos los recursos del cielo y de la tierra están disponibles para que podamos terminar la carrera y recibir nuestro galardón. Aun las aves, los animales y los peces obedecen a Dios y están disponibles para ayudarnos en tiempos de necesidad. Esto es cierto – los cuervos alimentaron a Elías (1 Reyes 17:4), los osos mataron a los enemigos de Eliseo (2 Reyes 2:24), y un pez trajo una moneda a Pedro (Mateo 17:27). ¡Alabado sea el Señor! Nada podrá separarnos del amor de Dios que está en Cristo Jesús, Señor nuestro (Romanos 8:37-39).

PODREMOS TERMINAR LA CARRERA CON GOZO

¡Sonría! ¡Sí! ¡Debemos trabajar duramente! ¡Sí! ¡Tenemos que ser diligentes! Sin embargo, aún podemos regocijarnos porque nuestro galardón en el cielo es grande. ¡No! No tenemos que estar tristes. ¡No! No tenemos que fruncir las cejas. Los cristianos somos la gente más feliz del mundo. La esencia misma del reino de Dios es justicia, paz y gozo en el Espíritu Santo (Romanos 14:17). El Señor Jesús no estaba descontento. El sufrió la cruz por el gozo puesto delante de él, y nosotros podemos hacer lo mismo (Hebreos 12:2). Gozo es el fruto del Espíritu Santo (Gálatas 5:22); por eso, se dice que los discípulos del Señor Jesús estaban llenos de gozo y del Espíritu Santo (Hechos 13:52). ¡Los dos van juntos! Debemos orar con gozo (Filipenses 1:4); dar con gozo (2 Corintios 8:2); estar ungidos con óleo de alegría (Hebreos 1:9); y enfrentar diversas pruebas con gozo (Santiago 1:2). De hecho, el gozo de Jehová es nuestra fuerza (Nehemías 8:10).

¡Que fijemos nuestros ojos en el Señor Jesús y que no miremos atrás! ¡*tenemos que creer* que él nos galardonará por ser diligentes!

Y a aquel que es poderoso para guardaros sin caída, y presentaros sin mancha delante de su gloria con gran alegría, al único y sabio Dios, nuestro Salvador, sea gloria y majestad, imperio y potencia, ahora y por todos los siglos. Amén (Judas 24 y 25).